JORGE SINTES PROS

LOS PELIGROS
del
ESTREÑIMIENTO

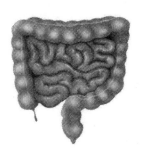

EDICIONES OBELISCO

Si este libro le ha interesado y desea que le mantengamos informado
de nuestras publicaciones, escríbanos indicándonos qué temas son de su interés
(Astrología, Autoayuda, Ciencias Ocultas, Artes Marciales, Naturismo,
Espiritualidad, Tradición...) y gustosamente le complaceremos.

Puede consultar nuestro catálogo en www.edicionesobelisco.com

Colección Salud y Vida natural
LOS PELIGROS DEL ESTREÑIMIENTO
Jorge Sintes Pros

1.ª edición: septiembre de 2014

Maquetación: *Montse Martín*
Corrección: *Sara Moreno*
Diseño de cubierta: *Marta Rovira*, sobre una ilustración de Fotolia

© Jorge Sintes
(Reservados todos los derechos)
© 2014, Ediciones Obelisco S. L.
(Reservados los derechos para la presente edición)

Edita: Ediciones Obelisco S. L.
Pere IV, 78 (Edif. Pedro IV) 3.ª planta 5.ª puerta
08005 Barcelona-España
Tel. 93 309 85 25 - Fax 93 309 85 23
E-mail: info@edicionesobelisco.com

ISBN: 978-84-15968-93-1
Depósito Legal: B-16.081-2014

Printed in Spain

Impreso en España en los talleres gráficos de Romanyà/Valls, S.A.
Verdaguer, 1 - 08786 Capellades (Barcelona)

INTRODUCCIÓN

Despreocuparse de la diaria evacuación del intestino,
pretendiendo que las heces acumuladas no le harán daño,
es un error. Por el contrario, el estreñimiento
es una fuente constante de intoxicación orgánica.

El estreñimiento es considerado, por lo general, sólo como un defecto de la evacuación intestinal, que a su vez es tenida como un suceso puramente mecánico, necesario para dar lugar, en el intestino, a nuevas heces. El intestino recto se considera, entonces, como un receptáculo que sirve de depósito para los residuos del intestino. Hemos dicho a propósito *receptáculo,* con lo cual queremos significar que se le considera, quizás inconscientemente, como un depósito, una cosa sin vida, sin función fuera de su papel de depósito de heces. Con este concepto, es comprensible que muchísimas personas no consideren la evacuación de ese depósito como estrictamente necesaria. Si se vacía hoy, o mañana, o pasado mañana, es lo mismo para ellos.

Entremos en una cocina cuidada por una hacendosa ama de casa. Miremos el cubo de la basura.

¿Cuántas de estas amas lo vacían diariamente? Si hoy no hubo tiempo, mañana será, y de lo contrario pasado mañana. Mientras tanto se acumulan los desperdicios; pero no importa, porque cuando se vacíe quedará limpio, y nada habrá sucedido de particular.

Pero el intestino, amigo lector, no es un cubo de basura, del cual todo sale como entró, aun cuando se dejen residuos dos o tres días en él. Las evacuaciones regulares se cumplen sin ninguna dificultad. Pero cuando trascurre un cierto tiempo, las heces se vuelven secas y desmenuzables, lo cual demuestra que el contenido del intestino no permanece tal cual, como el de un cubo de basura, sino que por lo menos se opera una trasformación, resultante de la absorción del agua.

Esta agua queda en el cuerpo, y con ella, naturalmente, residuos que hubieran debido expelerse. Esta reabsorción de la humedad del contenido intestinal tiene lugar en la última parte del intestino, que se llama *recto*.

Puede decirse que el tiempo normal necesario entre una y otra deposición es de 24 horas. Esto significa que cada 24 horas el recto debe vaciarse, ya que la reabsorción de una cantidad de residuos nocivos impide al organismo liberarse de los deshechos de la digestión.

Muchos creen que el intestino debe evacuarse cada 12 horas; pero seamos moderados y contentémonos con 24 horas. En este caso podremos estar tranquilamente seguros de que no se ha reabsorbido una cantidad grande de líquidos nocivos. Otras veces sucede lo contrario: la humedad no se reabsorbe, y las heces no se espesan.

La evacuación resulta demasiado líquida, lo que nos da el cuadro de la *diarrea*. En este caso se trata de contenido intestinal que no ha sido «trabajado» lo suficiente, o que no ha permanecido el tiempo necesario en el recto. Esto puede ocurrir cuando el intestino trabaja demasiado apurado, como en el caso de cólicos, o bien porque funciona deficientemente.

Pero volvamos al estreñimiento. También aquí el deficiente funcionamiento de la última parte del intestino grueso, o sea el recto, es la causa. Esto puede ocurrir por dos motivos:

1. *Porque está dormido.* En efecto, por un descuido de años en la evacuación intestinal, y por el almacenamiento de grandes cantidades de heces en el recto, los músculos se estiran por demás. El intestino se vuelve una bolsa flácida, distendida y dormida. Para que el intestino se contraiga, en adelante, de manera que tenga lugar una evacuación, se necesita una masa de materia fecal mayor que la normal. Pero también ocurre que el poder de

contracción intestinal se debilita. El intestino no vacía sino una parte de su contenido. Y el resto que queda, provoca la intoxicación del organismo por la reabsorción de que habláramos antes.

2. La otra forma de estreñimiento a que nos referíamos, constituye el polo opuesto de la anterior. Es el llamado *estreñimiento espasmódico,* en el cual el intestino no tiene una tensión proporcionada, sino que su musculatura se encuentra en permanente contracción, lo cual da lugar a espasmos. Es esta situación que se refleja en la última parte del intestino, pero que tiene lugar además en el resto del órgano, o por lo menos en una gran parte de él.

El oficinista que se pasa sentado ante su trabajo, igual todos los días, sufrirá de estreñimiento «dormido» o atónico; mientras que su jefe, nervioso por la responsabilidad de su puesto, de estar estreñido, lo será por sus *espasmos* intestinales.

Por lo tanto, para tratar con éxito un caso de estreñimiento deben tenerse en cuenta estas dos posibilidades. En algunos casos hay que buscar la *excitación* del intestino. En otros habrá que *relajarlo,* calmarlo.

Se debe también distinguir un *estreñimiento* primario o *esencial* (en el que el retardo de la evacuación fecal constituye el único síntoma anormal) de las múltiples formas de *estreñimiento secundario en* el que el retardo de la defecación representa un síntoma de una afección fundamental bien delimitada.

Entre las formas de estreñimiento secundario debemos recordar las provocadas por las afecciones del tubo digestivo (úlcera de estómago o de duodeno, tumores intestinales, ciertas formas de colitis, secuelas cicatriciales de procesos inflamatorios precedentes, oclusiones intestinales o reducciones de la luz del conducto intestinal, etc.); por defectos anatómicos del intestino (ptosis o caída de éste, megacolon, etc.), por envenenamientos (saturnismo), por estados de insuficiencia glandular endocrina (hipotiroidismo, hipopituitarismo), etc.

En el *estreñimiento primario* o *esencial* se admite, en ciertos casos, la influencia de la *inhibición psíquica en relación con las conveniencias sociales* que en muchas ocasiones obligan a retener la necesidad perentoria de defecar; tan cierto es esto, que el estreñimiento esencial es mucho menos frecuente en los pueblos no civilizados. También se invocan, entre otras, las siguientes causas para explicar la patogenia del estreñimiento esencial: la *vida demasiado sedentaria y la alimentación preferentemente carnívora,* que al ser casi completamente absorbida, a diferencia de lo que ocurre con las verduras, provoca la formación de poca cantidad de heces, que al estimular muy poco las paredes intestinales, apenas origina contracciones peristálticas sin las cuales resulta imposible la expulsión de las heces.

El estreñimiento esencial puede producirse *por exceso* o *por defecto de tonicidad (espasmo, contractura* o *atonía)* de las paredes intestinales; en el primer caso se habla de *estreñimiento espástico* o *hipertónico y* en el segundo de *estreñimiento atónico.*

El estreñimiento prolongado puede originar muchos trastornos generales: sensación vaga de malestar general, cefalea, neuralgias, falta de apetito, adelgazamiento, erupciones en la piel (a veces de tipo urticariforme), trastornos de la digestión, trastornos circulatorios, etc. Todos estos fenómenos patológicos se deben a un proceso *de autointoxicación intestinal,* por el paso a la sangre de productos tóxicos putrefactivos fecales a consecuencia de la retención prolongada de las heces del intestino grueso.

El *tratamiento* de las formas *secundarias* del estreñimiento presupone la curación de la enfermedad fundamental de la que el estreñimiento no constituye más que un síntoma. En el *estreñimiento esencial,* en cambio, es necesario que el paciente siga una serie de normas higiénicas (vida activa y no sedentaria) y dietéticas (alimentos que dejan bastante residuo o escorias, como verduras y frutas); también debe prescribiese la medicación adecuada en consonancia con el tipo de estreñimiento (espástico o atónico). En general, se deben proscribir los purgantes y los laxantes en cantidad excesiva si no queremos acentuar el estreñimiento en vez de solucionarlo.

¿QUÉ ES EL ESTREÑIMIENTO?

*El estreñimiento se ha definido como la enfermedad
de la civilización. Fastidiosa, molesta, contribuye a crear
un verdadero estado de ansiedad.*

Nos referimos aquí al *estreñimiento primario* o *esencial,* enfermedad cuya manifestación fundamental y, a menudo, única es precisamente la reducida frecuencia de las deposiciones *(estreñimiento cuantitativo)* o la escasez y excesiva consistencia de las sustancias excretadas *(estreñimiento cualitativo).*

Los síntomas

Aparte de dar síntomas locales, como ligeros dolores localizados o difusos, que raramente se agudizan hasta el cuadro del cólico, el estreñimiento puede influir en el estado general con trastornos que, si bien no son graves, pueden hacer penosa la jornada. Entre los más frecuentes están el dolor de cabeza, el insomnio, las palpitaciones cardíacas, el mal aliento. La digestión puede hacerse difícil, y el apetito disminuir. Con frecuencia hay dermatosis recurrentes, en forma de urticaria, eczemas, acné.

Las causas de todo esto siempre se han atribuido a *autointoxicación,* es decir, a la absorción forzada de sustancias que deberían haber sido eliminadas, dada la permanencia excesivamente larga de las heces en el intestino.

Existen numerosas circunstancias en las que el estreñimiento aparece como síntoma más o menos colateral de enfermedades de fondo, tanto gastrointestinales (úlcera, gastritis hipersecretora, insuficiencia hepatobiliar, estenosis intestinales de origen inflamatorio o neoplásico, etc.), como extraintestinales (cólicos renales o hepáticos, lesiones nerviosas, intoxicaciones enfermedades infecciosas, etc.): está claro que, en estos casos, la solución definitiva de la situación intestinal se logrará cuando la enfermedad originaria sea superada; por esto no puede hablarse de estreñimiento primario o crónico en sujetos que, gozando, en general, de una función intestinal normal, acusan esporádicos episodios de retraso, con ocasión de viajes o cambios de ritmo de vida.

En estos casos (y *sólo en estos casos), un laxante* o un purgante salino podrá resolver la situación. El problema referente al estreñimiento habitual es bastante más complejo.

Nuestro aparato digestivo

El aparato digestivo es el largo conducto interno de paredes revestidas por mucosa que recorre en sentido vertical todo el cuello y el tronco, comunicando con el exterior por sus extremos superior *(boca)* e inferior *(ano).* Este conducto se llama «digestivo» porque en su interior los alimentos introducidos por la boca sufren una acción digestiva progresiva, es decir, de escisión en principios nutritivos más simples que se absorben a través de la mucosa intestinal permeable; este conducto es importantísimo y necesario para la vida de nuestro organismo porque sin los procesos digestivos que se producen en él, los alimentos ingeridos se expulsarían sin haber cedido previamente a la sangre su parte nutritiva; y sin esta entrega de los principios nutritivos a la sangre, los alimentos no podrían trasformarse en carne de nuestros tejidos, en calor de nuestro cuerpo y en energía necesaria para el desarrollo de todas aquellas funciones orgánicas y de las innumerables reacciones bioquímicas del metabolismo sin las cuales no puede desarrollarse la vida en nuestro organismo.

El tubo digestivo tiene en la persona adulta una longitud de 11 metros, o sea, unas 6-7 veces la estatura del propio individuo adulto: esta cifra puede parecer exagerada para el profano que no llega a concebir que el intestino replegado en asas puede estar contenido en la cavidad abdominal. Las paredes del tubo digestivo están formados por tres capas o *túnicas* fundamentales que, procediendo de dentro a fuera, son:

1. La *mucosa,* que es una sutil membrana que tapiza interiormente todo el conducto digestivo y está formada por una capa superficial llamada *epitelio,* y de una capa profunda denominada –como en la piel– corión o *dermis,* de estructura conectiva elástica con numerosos corpúsculos linfoides esparcidos y a veces reagrupados formando folículos (en las amígdalas, en las paredes del apéndice, etc.). La mucosa del estómago y del intestino posee numerosas glándulas secretoras cuyos productos se vierten en el interior de la cavidad gástrica e intestinal.

2. La *submucosa* –llamada así porque está colocada por debajo de la mucosa, es decir, por fuera de ésta en relación con la luz del tubo digestivo–, formada por una estructura conectiva rica en vasos sanguíneos, linfáticos y nervios.

3. La *muscular,* constituida por fibras musculares lisas en disposición longitudinal o circular, las cuales, contrayéndose, provocan la constricción de las paredes del tubo digestivo con la consiguiente reducción de su luz (es decir, de su cavidad interna): la contracción de estas fibras musculares provoca los típicos movimientos peristálticos, que poseen las paredes del estómago y del intestino y que facilitan la progresión del contenido gástrico intestinal hacia el ano expulsor. Estas fibras musculares están inervadas por nervios pertenecientes al sistema neurovegetativo (vago y simpático).

El largo conducto digestivo está dividido –de acuerdo con su diversa estructura anatómica y actividad funcional– en seis partes: boca, faringe, esófago, estómago, intestino, ano. Aquí nos ocuparemos solamente del *intestino,* que describiremos a continuación.

Forman también parte del aparato digestivo —desde el punto de vista fisiológico—, algunas glándulas que segregan jugos de acción digestiva: se trata de las *glándulas salivares* que segregan la saliva que inicia la digestión de los alimentos en la boca; el *hígado y el páncreas* que segregan, respectivamente, la bilis y el jugo pancreático. Todos estos jugos digestivos se vierten en el interior del tubo digestivo para actuar sobre los alimentos.

Intestino. Es la última porción del tubo digestivo que se extiende desde la salida del estómago hasta el ano; se divide en dos partes fundamentales: el intestino *delgado,* que tiene una función digestiva y de absorción de los alimentos ingeridos, y el intestino *grueso,* que expulsa la materia fecal (también absorbe el agua, concentrando las heces).

El intestino *delgado* se divide a su vez en *duodeno, yeyuno* e *íleon; el grueso, en ciego, colon y recto.* El ciego lleva anejo un pequeño intestino parecido a un dedo de guante que recibe el nombre de *apéndice.*

El *duodeno* se llama así porque su longitud no excede doce anchos de dedo. Está separado del estómago por el *píloro,* anillo contráctil siempre cerrado que sólo se abre para dejar paso a los alimentos que han sufrido una primera trasformación bajo la acción de los jugos gástricos.

El *yeyuno* significa etimológicamente en ayunas, vacío. A decir verdad, el yeyuno no está absolutamente vacío, pero contiene poco en comparación con los otros intestinos. Es el elemento más largo del intestino delgado que se continúa por el íleon sin límite preciso.

Para *el íleon,* es también la etimología la que nos precisa su forma y su posición. *Íleon* significa «enroscar». De hecho, esta porción del intestino delgado enrosca sus circunvoluciones en la fosa ilíaca y se termina en el empalme del ciego, constituido en válvula, exactamente llamado «encrucijada apendículo-ileo-cecal».

Esta encrucijada, en la fosa ilíaca, nos hace abordar el intestino grueso. Hemos ya recorrido desde el píloro un poco más de 8 metros y el diámetro de estas tres primeras partes no podía ser inferior a 2 cm, ni superior a 3 cm (si se trata de un adulto, desde luego). Mas he aquí que con el *ciego* alcanzamos una porción ensanchada cuyo diámetro varía de 5 a 7 cm para una longitud de 4 a 7 cm. Ciego viene del latín *caecus.* ¿Por qué ciego?

Ciego porque para los antiguos no era más que un camino longitudinal para recibir y transitar la materia, y los sabios de esas épocas lejanas consideraban que ningún elemento de la materia pasaba a través de esta porción de conducto intestinal cuya pared –creían ellos– era absolutamente impermeable, de ahí la denominación de ciego.

Esta opinión fue por otra parte profesada durante largo tiempo. Era falsa, como luego veremos. En efecto, el ciego desempeña un papel importante en la digestión, no es solamente un canal evacuador cegado. Este papel sería más bien desempeñado por el colon izquierdo.

Inmediatamente después, en la misma prolongación, está el *colon ascendente,* que se extiende verticalmente hasta la cara inferior del hígado. Forma a continuación el ángulo hepático flexionándose oblicuamente a la izquierda y toma entonces el nombre de *colon trasverso,* que va a parar a la parte inferior del bazo. Aquí, nuevo codo o ángulo esplénico que hace descender el colon a la izquierda hasta el nivel de la cresta ilíaca. A esta altura comienza el colon pelviano o la S ilíaca o también ansa sigmoide a consecuencia de su forma contorneada de izquierda a derecha, parte que va a parar al recto.

El *recto* es la última porción del intestino grueso, así denominado a causa de su rectitud. De una dimensión de 12 a 14 cm, desciende a lo largo de la concavidad del sacro y del coxis para terminarse por el orificio anal.

Es útil también considerar, recorriendo la anatomía del colon, que éste está compuesto de partes fijas soldadas a la pared abdominal posterior mediante ligamentos formados por el peritoneo. Estas partes son: el ciego, el colon ascendente y el recto. Entre ellas se encuentran las partes móviles: el colon trasverso y el colon pelviano.

El conjunto del colon y del ciego hasta el ano, mide un metro y medio.

Los movimientos del intestino

El contenido intestinal va progresando lentamente hacia el ano mediante una serie de movimientos fisiológicos de las paredes intestinales, que se denominan movimientos *peristálticos;* estos movimientos se componen de la contracción de un determinado segmento intestinal y de la dilatación simultánea del segmento siguiente; de esta forma, el contenido intestinal va siendo progresivamente desplazado hacia las porciones más inferiores del intestino. Al producirse la contracción, el alimento o las heces se dirigen hacia la zona siguiente del intestino que se encuentra relajada; a su vez esta zona sufre después una nueva contracción, que vuelve a producir otro desplazamiento. Mediante este ingenioso mecanismo de *ondas contráctiles* que se van propagando sucesivamente por todo el intestino, las heces llegan hasta el ano expulsor.

Además de estos movimientos *peristálticos,* las paredes intestinales están dotadas de movimientos *segmentarios,* que son una serie de contracciones de las fibras musculares circulares de la pared intestinal; en virtud de estas contracciones, el intestino toma el aspecto de una ristra de salchichas, es decir, aparece dividido en una serie de pequeños segmentos, entre los cuales se aprecian unas zonas estenosadas. En algunas contingencias patológicas (por ejemplo, en las oclusiones intestinales) las paredes intestinales presentan unos movimientos *pendulares* anormales que recuerdan a los segmentarios; se denominan así porque se parecen a los movimientos oscilatorios del péndulo.

Todos estos movimientos del intestino –*peristánicos, segmentarios, pendulares*– son posibles por la existencia en las paredes del intestino de una serie de fibras musculares lisas; unas son externas y de curso longitudinal, y otras internas y de curso circular o concéntrico, a guisa de anillo. Estas fibras musculares inervadas por el vago y el simpático constituyen la capa muscular de la pared intestinal situada por fuera de la mucosa y de la submucosa. La *mucosa* –ya lo hemos visto– es la capa más profunda del intestino, es decir, que está en contacto con la luz intestinal; es de color gris rosáceo y está formada de epitelio cilíndrico y de corion; es rica en órganos linfoides y en glándulas que segregan el jugo intestinal que contiene fermentos digestivos. Tiene también numerosísimas excrecencias en forma de «dedo de guante», llamadas *vellosidades intestinales,* por las cuales se absorben hacia la sangre los principios nutritivos del alimento previamente digerido; la *submucosa*

14

−situada entre la mucosa por dentro y la capa muscular por fuera− es de estructura conectiva y rica en vasos sanguíneos y linfáticos.

El proceso digestivo

El organismo humano puede compararse, hasta cierto punto, con una máquina térmica (por ejemplo, una locomotora), ya que ambos funcionan en virtud de la energía obtenida por trasformación de la energía química potencial que posee el combustible (alimentos en el caso del organismo humano o animal, carbón en el caso de la locomotora a vapor); pero existe una diferencia fundamental en el sentido de que el carbón de la locomotora se utiliza directa e inmediatamente en la forma en que se administra; en cambio, en el organismo humano el alimento no puede utilizarse directamente en la forma en que se ingiere, sino después de una trasformación.

El conjunto de todas estas trasformaciones que los alimentos sufren para poderse absorber y utilizar por el organismo humano que los ha ingerido, recibe el nombre de *digestión;* esta función biológica de importancia vital permite que el alimento ingerido se trasforme en material de construcción para la formación de nuevos tejidos y proporcione además la energía mecánica muscular necesaria para la ejecución de los movimientos; finalmente, proporciona también la energía química indispensable para la realización de todas aquellas funciones orgánicas e innumerables reacciones bioquímicas del metabolismo, sin las cuales la vida no es posible de ningún modo.

Podemos definir la *digestión* como el conjunto de los procesos de trasformación mecánica y quimicoenzimática que sufren los alimentos ingeridos con un orden de sucesión determinado e inmodificable. De esta forma se hace factible la absorción de éstos, o sea, su paso hacia la sangre a través de la mucosa intestinal permeable.

Estos procesos mecánicos y quimicoenzimáticos consisten primero en la masticación e insalivación del alimento en la cavidad bucal; después en la deglución (ingestión) del llamado *bolo* alimenticio y, finalmente, en la compleja y definitiva digestión en el estómago e intestino que conduce a la escisión gradual de los principios nutritivos complejos de los alimentos (proteínas, grasas, hidratos de carbono), en productos de constitución molecular cada vez menos complejos hasta alcanzar productos químicos más simples que se absorben perfectamente atravesando la mucosa intestinal permeable y llegando a la sangre y a la linfa de los vasos sanguíneos y linfáticos de la pared intestinal.

El ambiente en que se producen los procesos de trasformación de los alimentos es el *aparato* o *conducto digestivo,* sobre todo el estómago y la primera porción del intestino; los operarios que ejercen esta trasformación son las *enzimas* o *fermentos* contenidos en los diversos jugos digestivos (saliva, jugo gástrico, duodenal, pancreático); la masa líquida, espesa, grisácea, en la que se convierte el alimento por digestión gástrica es el *quimo,* y el producto final de la digestión, o sea, el líquido lechoso, alcalino, que los vasos quilíferos toman del intestino durante la digestión, compuesto de linfa y grasa emulsionada, es el *quilo.* Este líquido pasa a las venas subclavia y yugular, a través del conducto torácico, *y* se mezcla con la sangre. Las *escorias* (es decir, los productos a eliminar) forman la parte *indigerible,* y por lo tanto no absorbible, del alimento que se expulsa por el ano en forma de *heces.*

La trasformación del alimento comienza en la cavidad bucal. La saliva y el producto de secreción de otras glándulas componen la saliva mixta. Ésta contiene trazas de cloruro de potasio y de sodio, de mucina, de ptialina y de albúmina, etc. Esta secreción no tiene por única misión facilitar la degustación y la deglución, sino también y sobre todo la *de atacar* los alimentos bajo la acción de sus sales y fermentos, particularmente la *ptialina.*

Reducido a papilla, e iniciada ya su digestión por un comienzo de trasformación de los almidones en azúcar, el bocado es deglutido y se desliza a lo largo del esófago al estómago.

Llegado al estómago, el bolo alimenticio permanece en él un cierto tiempo, experimentando importantes trasformaciones bajo la acción del jugo gástrico compuesto de ácido clorhídrico y de tres fermentos: *la lipasa, la pepsina y la presura.* El ácido clorhídrico y la pepsina actúan sobre las carnes, reduciéndolas en albuminosa y peptona. La lipasa inicia la digestión de las grasas, las saponifica. La presura comienza la digestión de la leche, pero activa en el lactante, no parece desempeñar un gran papel en el adulto.

Los alimentos son así reducidos en una papilla dividida de tenor ácido y a temperatura constante. Es el *quimo*. Este quimo, el píloro lo hace pasar en pequeñas cantidades a la primera parte del intestino, el duodeno.

Inmediatamente comienza la fase más importante de la digestión. En efecto, en el duodeno el hígado y el páncreas vierten sus productos. Esta parte del intestino es a su vez la sede de una secreción importante. La mucosa, excitada por el jugo gástrico contenido en el quimo, elabora una hormona, la *secretina,* que provoca la secreción del *jugo pancreático. La* acción de este jugo y de *la bilis* hace progresar la digestión de la albuminosa y de la peptona, de las grasas y de los hidratos de carbono, es decir, el almidón o fécula y azúcar.

El quimo se acerca entonces a su última trasformación. Contiene aún ácido clorhídrico cuya neutralización, comenzada en el duodeno bajo la acción de la bilis y del jugo pancreático, se acaba en el yeyuno y el íleon, segunda y tercera parte del intestino delgado, bajo el efecto de un jugo intestinal alcalino.

La progresión del quimo desde el píloro hasta la entrada del ciego es relativamente rápida. Se hace normalmente en tres horas. Durante esta progresión, la mucosa del intestino delgado absorbe las sustancias asimilables. Los cuerpos grasos pasan al estado de jabón, la albuminosa y la peptosa son reducidos en ácidos aminados Un ácido aminado es un compuesto cuya molécula posee una función ácida y una función comparable a la del amoníaco (amina). Este ácido aminado es la última fase de la digestión de las materias albuminoides o hidrólisis, que significa disolución o desdoblamiento de la molécula.

Los hidratos de carbono contenidos en el quimo, almidón y azúcar, son absorbidos en estado de glucosa o de levulosa. Esta sustancia asimilable se llama *quilo.*

La absorción tiene lugar de una manera muy activa por los vasos quilíferos y sanguíneos, de los que más arriba hemos hablado.

He aquí, pues, el resto del quimo o bolo alimenticio penetrando por la válvula del íleon en el ciego. ¿Se trata únicamente de desperdicios?

No, aún no, pues este resto sustancial contiene almidón que no ha sido completamente digerido en el intestino delgado y celulosa que no ha sido reducida del todo.

El ciego y también el colon ascendente contienen una pululación de microbios; encierran también levaduras y hongos. Bajo la acción de ciertos elementos de esta flora, el almidón que queda aún por digerir es trasformado en ácido láctico y en ácidos grasos volátiles. La celulosa es atacada en la proporción de 50 a 70 por 100. Además, esta flora microbiana realiza la síntesis de las vitaminas del grupo B y contribuye al equilibrio trófico de la mucosa. «Trófico» viene del griego *atrophe* y concierne la nutrición de los tejidos.

Además de esta digestión, el colon desempeña un papel importante en la absorción del agua. Es así que una cantidad de quimo que contiene, en el momento en que penetra en el ciego, 500 gramos de agua, no contendrá más que 100 gramos en la ampolla rectal. Pero ahora ya no se trata de quimo sino de materias fecales.

Si la travesía del intestino delgado es rápida, como hemos dicho, no ocurre lo mismo en cuanto a la progresión en el colon. Las materias alimenticias avanzan bajo el efecto de las contracciones del diafragma y de los músculos abdominales, de los movimientos peristálticos, etimológicamente, que actúan a su alrededor. Son todos los movimientos de contracción del estómago y del intestino que se producen de arriba a abajo.

Pero además de esta motricidad gástrica y cólica, el intestino grueso está sometido a otros movimientos que ejercen sobre las materias un verdadero braceo. Mediante este braceo, el quimo entra en totalidad en contacto con la mucosa que puede así absorber la mayor parte del agua que contiene. Además, esta absorción y el braceo entrañan un espesamiento y un amontonamiento de las materias no asimilables que serán expulsadas.

Así, la masa de alimentos ingeridos en el curso de una comida disminuye muy sensiblemente de volumen a consecuencia de las digestiones completas y de las absorciones que se efectúan a partir del duodeno, hasta el colon ascendente por lo menos.

Para terminar con este recorrido y estas metamorfosis, queda por ver ahora cómo progresan y son expulsadas las materias inasimilables.

Ya hemos dicho que a partir del ciego el quimo avanza lentamente. Las experiencias radiográficas hechas después de la ingestión de una papilla baritada han permitido establecer que el colon ascendente hasta el ángulo hepático es alcanzado hacia las ocho horas siguientes a la ingestión. El segundo codo, ángulo esplénico, es alcanzado hacia las diez horas, el colon pelviano entre la décima y la decimosexta hora y el recto entre la decimosexta y la vigesimocuarta hora.

Este verdadero film radiográfico pone de relieve la irregularidad de la progresión. Las materias se acumulan en el colon pelviano. La sobrecarga de éste entraña en ciertos sujetos una muy ligera incomodidad en la región pubiana, pero no es notada en la mayor parte de las otras personas.

La exoneración final es desencadenada bajo el efecto de diversos reflejos. Es una resultante de la voluntad, del hábito, de las reglas de higiene, de la posición de pie, del cambio de temperatura, del estímulo provocado por el desayuno o la comida, de movimientos de cultura física apropiados. Solicitado así, el colon pelviano o sigmoide se contrae violentamente enderezándose y penetra parcialmente en el recto. El esfínter o válvula sigmoidea se abre entonces y las materias son introducidas con fuerza en el recto.

Seguidamente tiene lugar instantáneamente la evacuación. El recto, en efecto, debe permanecer siempre vacío de materias excepto en el momento de las deposiciones. Es un simple conducto evacuador. El papel capital en la defecación es desempeñado por el colon pelviano, cuya parte inferior es la sede de poderosos movimientos peristálticos. Estos la trasforman en una especie de forro que acompaña y proyecta las heces en el recto.

Química de la digestión

La digestión puede resumirse de la forma siguiente en relación con las tres categorías principales de elementos nutritivos complejos del alimento, que son los únicos que requieren la escisión digestiva en productos más simples capaces de pasar a la sangre a través de la mucosa intestinal: las *proteínas* o *prótidos,* los *hidratos de carbono* o *glúcidos* y las *grasas o lípidos.*

La digestión de las proteínas. Las proteínas –contenidas principalmente en la carne y en los huevos y que se digieren más fácil y rápidamente que las grasas aunque menos que los hidratos de carbono– pasan indemnes por la boca al no existir en la saliva ningún fermento proteolítico capaz de escindir la gran molécula proteica; en el estómago, las proteínas son agredidas y escindidas por el fermento *pepsina,* que las trasforma en *peptonas,* productos intermedios de la digestión proteica; finalmente, se escinden en *polipépticos y aminoácidos* (productos terminales de la gran cadena disgregativa de la digestión proteica) en el ambiente alcalino del intestino delgado y principalmente por medio del fermento *tripsina* contenido en el jugo pancreático.

Hemos visto, pues, que bajo la acción del ácido clorhídrico y de la peptina los prótidos son reducidos en el estómago en albuminosa y en peptona. Pero no se trata ahí más que de una fase preparatoria. Pasando al duodeno, albuminosa y peptona son sometidas a la acción de la bilis, al jugo pancreático y a un fermento segregado por el intestino delgado: la muy activa *erepsina* (fermento o peptidasa de la mucosa intestinal que actúa sobre las peptonas y deuteroalbúminas pero no sobre la albúmina inalterada). Los prótidos se desdoblan entonces en ácidos aminados y en moléculas básicas. Mediante esta trasformación, diez aminoácidos deben penetrar en nuestro organismo. Si falta uno solo de ellos no tardan en presentar trastornos graves que ponen en peligro nuestra vida.

Así trasformados y desdoblados, los protidosácidos aminados son absorbidos por las vellosidades de la mucosa intestinal. A partir de este momento su síntesis en proteína comienza. Trasportados por la vena porta al hígado, donde su elaboración se acaba, son seguidamente distribuidos en forma de proteínas sanguíneas por el aparato circulatorio. Así son continuamente reemplazadas las células gastadas de los cuerpos vivos.

Los prótidos, y por tanto los prótidos animales, son necesarios para la indispensable provisión del cuerpo humano en ácidos aminados.

Pero esto no quiere decir que haya que someterse a un régimen de predominio cárnico. Hay que tener en cuenta a este respecto que los desechos de las materias nitrogenadas son putrescibles. Luego, no estando el intestino del hombre constituido como el de los animales carnívoros –es comparativamente extremadamente largo– los desechos precitados van obligatoriamente a permanecer demasiado tiempo y se activará la corrupción. Así pues, *si la carne es consumida con demasiada frecuencia e ingerida en cantidad importante, la masa acrecida de desechos que de ello resulta entraña el riesgo de provocar lesiones sobre las mucosas intestinales más robustas,* a consecuencia de la proliferación de las toxinas putrefactoras.

Además, *el hígado es sometido a un trabajo de síntesis demasiado rudo y se pueden producir lesiones que también pueden comprometer el funcionamiento de esta glándula vital.* Este peligro se acrecienta desde luego si la mucosa intestinal está lesionada. En este caso, en efecto, ésta dejará pasar las toxinas y será el hígado el que deberá detenerlas y destruirlas, de ahí una sobrecarga adicional.

Otro riesgo se desprende de este exceso de ácidos aminados: un hígado sobrecargado y fatigado deja pasar una cierta cantidad de toxinas a la sangre. Los riñones intervienen entonces para barrerles el paso, pero esto no se hace sin dificultad, para ellos, y a la larga, puede sobrevenir nefritis y uremia.

Se comprende fácilmente que un *exceso de carne perturba todo el ser* puesto que en definitiva es la sangre y por tanto el medio interior el que se ve desequilibrado, de donde proviene la vejez prematura y las enfermedades de degenerescencia.

En conclusión, podríamos –aunque con muchas reservas– admitir que los prótidos animales (particularmente los huevos) son necesarios dado nuestro modo de alimentación occidental, pero hay que consumirlos en cantidad muy moderada, mayormente cuando disponemos de excelentes fuentes proteínicas de origen vegetal.

Además, cuando el sujeto está enfermo, o cuando siente la menor dificultad de digestión, debe reducir al mínimo su ración de carne y, mejor aún, suprimirla por completo. Es la primera medida que hay que tomar.

La digestión de los hidratos de carbono. Los hidratos de carbono, carbohidratos, glúcidos o azúcares –contenidos sobre todo en el pan, la pasta, el arroz, las patatas, etc., y que se digieren con más facilidad y rapidez que las proteínas y las grasas– sufren la primera acción disgregadora en el curso de la digestión oral mediante el fermento *ptialina* presente en la saliva (que trasforma la gran molécula de almidón en dextrina, menos compleja), ya que no existe en el jugo gástrico ningún fermento amilolítico (es decir, capaz de disgregar la gran molécula de almidón y de los hidratos de carbono en general); son finalmente atacados y escindidos hasta el final (es decir, hasta el estado de azúcares simples o monosacáridos que representan los productos terminales de la digestión de los hidratos de carbono) en el curso de la digestión intestinal mediante los fermentos presentes en el jugo pancreático (amilasa, maltasa) y en el jugo entérico (maltasa, lactasa e invertasa).

Los glúcidos nos proporcionan energía. Se los consume bajo diferentes formas: el *almidón* con los cereales (trigo, avena, arroz, etc.), patatas, legumbres secas (lentejas, judías secas, garbanzos, guisantes secos, etc.); la *glucosa* contenida en la miel, en los frutos no ácidos (uva, plátano, higos, melón, etc.); la *levulosa* contenida igualmente en la miel y en las frutas ácidas (naranjas, cerezas, grosellas, etc.); la *sacarosa* que se encuentra en el azúcar de caña, en la remolacha, en ciertas frutas, etc., la *lactosa* en la leche.

En lo que concierne a los almidones, éstos deben ser previamente dextrinados. La *dextrina* es una sustancia gomosa contenida en el almidón y que se obtiene por desdoblamiento de este glúcido. Este desdoblamiento, que constituye una predigestión, se opera mediante la cocción, sea en el agua caliente, sea por fritura, sea estofando. El panadero lo efectúa en el curso de las fases de la panificación.

Este desdoblamiento no puede, en efecto, tener lugar en el agua fría, y es absolutamente necesario, pues los jugos de las glándulas digestivas son incapaces de reducir las moléculas de almidón no dextrinadas, es decir, no desdobladas.

Un jugo pancreático, la *amilasa*, digiere en el intestino el almidón, y, de una manera general, la digestión compleja de los glúcidos produce glucosa o levulosa absorbida por los vasos sanguíneos de las vellosidades intestinales. De ahí, estas sustancias son conducidas al hígado que las almacena trasformándolas en *glicógeno* (o dextrina animal) bajo la acción de una diastasa, para restituirlo al organismo a medida de las necesidades.

Veamos algunas importantes observaciones sobre estos extraordinarios trabajos del laboratorio humano a propósito de los glúcidos. Primero un trabajo extremadamente laborioso. Esfuerzo de las glándulas digestivas y triple esfuerzo por lo que concierne al hígado. Grandes dificultades para la digestión de los almidones. Es raro, por lo demás, que el desdoblamiento molecular sea completo, de ahí la acumulación de desechos ácidos en el intestino y el riesgo de putrefacción.

Es pues prudente consumir pocos glúcidos bajo forma de almidones. Dar la preferencia al arroz integral, a los copos de avena con moderación teniendo cuidado de dextrinarlos bien (cocción perfecta) y de ensalivarlos correctamente.

En cuanto al azúcar, diremos que el azúcar blanco o sacarosa es una sustancia desvitaminizada, refinada, en una palabra, desvitalizada a consecuencia de los tratamientos sufridos en la fábrica. Desprovistos de los biocatalizadores que son las vitaminas, el azúcar industrial las toma del organismo para poder ser asimilado. Exige especialmente una notable cantidad de vitamina B_1. *El abuso del azúcar blanco y también de las harinas muertas (refinadas) puede provocar la aparición de una verdadera forma atenuada de beriberi que, escapando al diagnóstico, es todavía más peligrosa* (trastornos circulatorios, cefaleas, degenerescencia muscular, palpitaciones, edemas, etc.). Este abuso entraña también una descalcificación (caries dental, afecciones de los huesos, etc.).

El azúcar refinado irrita, además, el hígado, el páncreas y las vías digestivas. Y es tan cierto que el azúcar blanco es un irritante que no es raro observar en los refinadores y los confiteros lesiones de las uñas, erupciones y eczemas en las manos y los antebrazos.

Si a todos perjudica el azúcar blanco, mucho más a los niños cuyo crecimiento compromete seriamente restándoles vitaminas, descalcificándolos y preparando su aparato digestivo y su hígado para un porvenir nada agradable.

Debemos, pues, recurrir a los *azúcares naturales contenidos en la fruta y en la miel.* La miel pura se compone de glucosa y de levulosa, directamente asimilables. Aporta al organismo principios aromáticos, vitaminas, materias minerales y nitrogenadas y un elemento bactericida, la *inbibina* (ácido fórmico natural).

La digestión de las grasas. Las grasas o los lípidos —contenidos en el aceite, la manteca, el tocino, las carnes, los peces grasos, etc., y que son los más difíciles de digerir necesitando el concurso de la bilis para su digestión— no se alteran por los procesos de la digestión oral al no existir en la saliva ningún fermento lipolítico (es decir, disgregador de la molécula de grasa o lípido); son escindidos en ácidos grasos y glicerina durante la digestión gástrica por la lipasa gástrica cuando están en emulsión (grasas de la leche y de la yema de huevo); en cambio, las grasas no emulsionadas (aceite, tocino, carne grasa, etc.), son digeridas únicamente en el ambiente intestinal, donde la bilis las emulsiona y las hace digeribles; finalmente, son escindidas en el curso de la digestión intestinal por los fermentos pancreáticos presentes en el jugo pancreático (lipasa pancreática) y duodenal (lipasa entérica); esta acción se produce únicamente cuando la bilis, en virtud de las sales que contiene, ha efectuado la emulsión de las grasas que no están naturalmente emulsionadas.

La cantidad cotidiana de lípidos necesaria al organismo humano es del orden de 20 a 35 gramos para un adulto. La cifra más baja interesa las estaciones cálidas, primavera y verano, y la cifra más alta las estaciones frías, otoño e invierno.

Ya hemos visto que la digestión de las grasas comienza en el estómago bajo la acción de la *lipasa.* Este fermento diastásico saponifica las grasas. Pero la trasformación prosigue y se acaba en el intestino delgado gracias a la bilis. Este desdoblamiento, o hidrólisis, da lugar a la formación de un alcohol y de un ácido graso que combinándose con un jugo alcalino componen un jabón.

Es bajo esta forma como la mayor parte de los lípidos es absorbida por los vasos quilíferos de las mucosas intestinales y pasa al aparato circulatorio sin sufrir ni trasformación ni filtración por el hígado.

Esta asimilación de los lípidos es necesaria para aportar al organismo un suplemento de energía, especialmente en invierno, y para facilitar el papel de las vitaminas liposolubles A, D, E, K.

Pero las raciones medias arriba indicadas son frecuentemente rebasadas y la calidad de las grasas consumidas deja a menudo que desear. Hay que señalar, a este respecto, que el exceso de lípidos provoca un verdadero revestimiento de los otros alimentos prótidos y glúcidos. De ello resulta una disminución de la acción de los jugos digestivos y por consiguiente un retardo de la digestión.

Es entonces cuando el proceso de sobrecarga comienza. Las glándulas digestivas deben producir una cantidad acrecentada de jugos. Pero el exceso de trabajo al cual son sometidas las fatiga, hasta las agota y su caudal no tarda en ser insuficiente. A consecuencia de esta carencia, los alimentos insuficientemente digeridos fermentan o se putrifican en el intestino. Entonces sobrevienen crisis agudas en el sujeto, crisis que pueden provocar una lesión de uno o varios órganos digestivos, si el sujeto no se somete a una alimentación racional y equilibrada.

Los aceites de mala calidad, refinado defectuoso, saturación, pobreza en ácidos grasos esenciales o también el exceso de cocción, las frituras, hacen penetrar en el organismo lípidos desnaturalizados que son una fuente de toxemia. Es pues particularmente importante no consumir más que cuerpos grasos perfectamente puros, no desvitalizados por intervenciones químicas excesivas y por una intempestiva cocción, y evitar los abusos.

Higiene de la digestión

Las premisas de una buena digestión están en la cocina, porque la preparación sabrosa y sana de los víveres es muy importante en los individuos de apetito escaso y en los dispépticos (es decir, en los que sufren una digestión lenta, laboriosa y a veces dolorosa). Los alimentos deben condimentarse y prepararse por el ama de casa, de forma que satisfagan el gusto y estimulen el apetito, al objeto de que se produzcan la abundante secreción de saliva y de jugos digestivos de los que depende una buena digestión.

Los alimentos que se comen crudos (ensaladas, frutas), deben lavarse bien al objeto de que sufran una especie de desinfección mecánica;

los que se consumen cocidos deben tener la suficiente cocción, con lo que se logra además de la muerte de los microbios habituales presentes en ellos, su digestión más fácil, ya que en el fondo representa una digestión parcial.

Al cocinar los alimentos, el ama de casa debe recordar que los alimentos presentados en la mesa deben ser gustosos, apetitosos y con una cocción adecuada. No debe excederse en la aplicación de sal y sobre todo de especias, porque a pesar de que los alimentos resultan de esta forma más agradables al paladar, no debe olvidarse que el abuso de las especias provoca con el tiempo inflamaciones del estómago *(gastritis)* y del hígado *(hepatitis),* así como también la abolición de las secreciones digestivas por el estimulo continuo que origina el abuso de estas sustancias; en efecto, con los años muchos individuos se vuelven dispépticos por haber ingerido durante mucho tiempo una comida exageradamente condimentada.

La higiene de la digestión abarca los siguientes extremos:

1. No ponerse a comer recién llegado del trabajo, sobre todo cuando se llega cansado, sudado, jadeante y con el pulso acelerado; a la comida hay que llegar en pleno estado de reposo funcional de todos los órganos, al objeto de que la circulación puede derivar cierta cantidad de sangre desde los diversos órganos hacia las paredes del estómago y del intestino donde se produce la función digestiva. Durante los minutos necesarios para tranquilizar el organismo antes de la comida se pueden practicar diversos cometidos: secarse el sudor, quitarse la chaqueta, aflojarse la corbata, cambiarse –si fuera necesario– de vestidos, preparar un zumo (de tomate, de zanahoria, de apio, etc.) como aperitivo.

2. La ingestión de los alimentos debe efectuarse siempre a las mismas horas, al objeto de respetar aquella especie de automatismo que se establece en la aparición del apetito y el desarrollo de la función digestiva; las horas de las diversas comidas varían según las costumbres de los diversos pueblos.

3. Comer lenta y cómodamente, amablemente conversando, sin estar pendiente de ocupaciones intelectuales y desinteresándose

de cualquier preocupación. No conviene estar pendiente de la televisión ni de las noticias de la radio durante la comida; en cambio, una música suave y ligera contribuye a crear un buen ambiente para la comida y subsiguiente digestión.

4. Masticar minuciosamente el alimento al objeto de triturarlo y ensalivarlo perfectamente antes de su ingestión «Prima digestio fit in ore» (la primera digestión se hace en la boca), advierte el proverbio.

5. No ingerir cantidades abusivas de alimentos, sobre todo si se trata de víveres de difícil digestión (como por ejemplo, las sustancias grasas); la alimentación excesiva, además de dificultar la digestión, conduce a la obesidad, sobre todo en aquellos individuos que por hábito constitucional o por vida sedentaria están predispuestos a «echar barriga». Tampoco debe abusarse de los líquidos, tanto en lo que se refiere al agua como a las bebidas alcohólicas; éstas deben limitarse –y sólo para las personas perfectamente sanas– a un vasito de vino tinto en cada comida, aunque nada se pierde prescindiendo totalmente de esta clase de bebidas. La cerveza debe también descartarse de las comidas; y lo mismo cabe decir de las bebidas carbónicas y de las aguas minerales con gas. Por otra parte, cuando se comen muchas ensaladas, verduras y frutas, apenas se siente necesidad de beber. Lo ideal sería acompañar las comidas bebiendo zumo de manzana o de zanahoria o de granada, al gusto del consumidor. Desde luego, el zumo de manzana es la bebida ideal, la más digestiva que existe. Sin discusión.

Es preciso levantarse de la mesa sin haber saciado completamente el apetito (cuando éste, naturalmente, no sea escaso) y con el estómago no repleto de alimentos; debe terminarse la comida siempre con la sensación de que uno, por su gusto, comería aún algo más. Por otra parte, esta sensación desaparece al poco rato, cuando ya está en su apogeo la digestión gástrica de la comida ingerida.

6. Reposar o pasear lentamente después de la comida (durante una o dos horas) respetando el precepto de la escuela de Salerno,

que indicaba «Post prandium aut stabis aut lente deambulabis» (después de la comida reposo o paseo ligero); en efecto, de esta forma el estómago se coloca en las mejores condiciones para digerir el alimento ingerido. El reposo puede llegar hasta la clásica siesta de algunos individuos, sobre todo ancianos, que suelen tenderse en una cómoda poltrona sobre todo en los días calurosos. Lo que está absolutamente prohibido en el período posprandial inmediato es el trabajo mental o físico intenso que sustrayendo la sangre de las paredes del estómago y del intestino la dirige hacia el cerebro o los músculos. «Después de comer, ni un sobre leer», dice el refrán.

¿POR QUÉ APARECE EL ESTREÑIMIENTO?

La causa principal del estreñimiento crónico habitual debe buscarse en la manera antinatural de alimentarse.

Por regla general, el estreñimiento aparece ya en la juventud, arrastrándose luego con fases alternas de remisión y de recrudecimiento, durante largos años. ¿Cuáles son sus causas? En muchos casos, con toda probabilidad hay una disminución de la función de ese conjunto de células y fibras nerviosas (los plexos nerviosos intrínsecos) incluidos en la pared intestinal (cuya motilidad controlan) y, por lo tanto, una inercia del intestino. Otras veces, la lesión puede interesar a los nervios que llegan al intestino, o sea, las fibras «parasimpáticas», que estimulan la contracción intestinal y las fibras «simpáticas», que la frenan (estos estímulos son controlados y modificados por los plexos nerviosos intrínsecos). En todo caso, a estas dos causas se asocian casi siempre errores del método de vida que provocan o agravan la anormal situación intestinal. Entre éstos, algunos están especialmente difundidos; por ejemplo, *la dieta pobre en componentes vegetales.*

Hay que tener presente que las enzimas, gástricas e intestinales, que atacan los alimentos, desdoblándolos en sustancias más simples, que pueden ser absorbidas, no son capaces de atacar la celulosa. Ésta, abundante en los vegetales, protege, en parte, de la acción de las enzi-

29

mas, a los azúcares y a las proteínas que reviste, permitiendo que lleguen intactas al colon, porción del intestino grueso comprendida entre el ciego y el recto. Aquí viven millones de bacterias, que consiguen disolver algunos tipos de celulosa (la de patata, por ejemplo), dejando así libres azúcares y proteínas que fermentarán y sufrirán una putrefacción, respectivamente, con formación de gases y otras sustancias. Estas reacciones facilitan el desarrollo del proceso normal de excreción de las sustancias de desecho, ante todo porque la presencia en el colon de sustancias sin digerir hace que aumente el volumen de las heces, y por lo tanto, que se haga más intenso el estímulo mecánico ejercido por las escorias sobre las paredes intestinales; éstas reaccionarán con contracciones más activas, empujando hacia delante el contenido intestinal. El gas tendrá una acción mecánica similar, además de hacer más blanco el material intestinal y, finalmente, las sustancias formadas en los procesos de fermentación y de putrefacción actuarán, como estímulo sobre el intestino, por vía química. Otros desequilibrios, que dependen del ritmo de vida que se lleva, son la irregularidad de las comidas, tanto por el horario como por la calidad de los alimentos la escasez de movimiento (¡cuántos oficinistas sufren estreñimiento!), la inhibición voluntaria del estímulo que llega en momentos inoportunos; estos factores son, a menudo, determinantes en la aparición de la enfermedad.

Un último factor que debemos citar es el frágil equilibrio psíquico que caracteriza a muchos estreñidos, y su parte de responsabilidad se confirma por la comprobación de muchos casos de curación, lograda con una terapéutica dirigida exclusivamente a la esfera psíquica. El estreñimiento sería, pues, al menos en ciertos casos, la manifestación psíquica de una dificultad de adaptación del hombre a la vida social. Existen clasificaciones muy precisas del estreñimiento y, por lo tanto, muy escolásticas, basadas sobre la porción de intestino en la que, mediante los rayos, se ven acumularse las heces.

Nosotros nos limitaremos a una distinción práctica, es decir, a reconocer un estreñimiento atónico y uno espástico. El primero, frecuente sobre todo en los viejos, admite como base una torpeza intestinal, una deficiencia de actividad contráctil de la musculatura. El segundo, por el contrario, un exceso de motilidad que implica espasmos pronunciados de la pared intestinal y, por lo tanto, bloqueo de su contenido. En ambos casos, hay un acúmulo en el colon.

Finalmente, existe un tercer tipo de estreñimiento: la disquecia, en la que el contenido intestinal, que ha llegado hasta el recto, se detiene precisamente en esta última porción de intestino (la defecación es difícil y dolorosa).

¿Hay un criterio para distinguir, por lo menos, las dos formas más importantes de estreñimiento: la atónica y la hipertónica?

El método más seguro es el examen radiológico, pero hay un procedimiento más simple para reconocerlas: el estreñimiento atónico emite heces voluminosas, aunque compactas; el estreñido espástico emite los llamados «escíbalos», pequeños acúmulos fecales, duros, semejantes a aceitunas. En caso de disquecia, se encontrará la presencia de heces en la ampolla rectal, normalmente vacía.

Causas del estreñimiento

Toda perturbación en el funcionamiento del intestino se traduce por estado diarreico o por el estreñimiento. A menudo estreñimiento y diarrea se alternan.

Para verse libre para siempre del estreñimiento crónico y de sus peligrosas consecuencias (almorranas, colitis, apendicitis, putrefacciones, intoxicaciones, etc.), conviene saber sus causas y suprimirlas, la única forma de combatirlo radicalmente y recuperar la salud.

Vamos a pasar en revista todas estas posibles causas del estreñimiento, siguiendo un cierto orden de importancia.

1. *Los errores en la alimentación.* A nuestro modo de ver, ésta es la causa más importante del estreñimiento. «La mayoría de la gente –dice el doctor Payot– son enfermos porque comen equivocadamente: están en estado de intoxicación permanente». Y el doctor Victor Pauchet, por su parte, dice: «No olvidéis que el 90 por 100 de las enfermedades son causadas por una alimenta-

ción defectuosa (uso de excitantes, alcoholismo, tabaquismo, sobrealimentación)». Finalmente, el doctor Vander afirma que «la causa principal del estreñimiento crónico habitual debe buscarse en la manera antinatural de alimentarse».

Los errores alimenticios más frecuentes son: *insuficiente masticación, taquifagia* (acción de comer deprisa), *exceso de comida* y sobre todo exceso de carne, de pescados, huevos, quesos, pan blanco, harinas finas, pastas, macarrones, arroz blanco, pastelería, dulces, chocolate, cacao, té, sopas y otros platos *demasiado calientes y, finalmente insuficiencia de celulosa* (escorias).

2. *Vida demasiado sedentaria,* falta del ejercicio necesario. El hombre y la mujer modernos se ven cada vez menos solicitados por el esfuerzo muscular. Apenas andan; respiran con un tercio de sus pulmones; casi nunca llevan cargas. Tenemos a nuestra disposición robots de uso doméstico y profesional que tienden cada vez más a neutralizar el esfuerzo de nuestros trabajos. Es el progreso, y no vamos a ser nosotros los que digamos que esto no es una ventaja. Todo lo que tiende a liberar al hombre de un esfuerzo más o menos penoso es eminentemente útil. Ahora bien, esta liberación deviene una caricatura monstruosa si la utilizamos para vivir de una manera antinatural, sin mirar por las necesidades imperativas del cuerpo y del alma.

La insuficiencia de actividad física entraña un enlentecimiento de los movimientos respiratorios y sobre todo disminuye su amplitud. Además, la musculatura abdominal se atrofia por falta de ejercicio. El intestino se ve pues privado del doble concurso que deben normalmente aportarle una respiración amplia y las contracciones abdominales. El intestino está entonces sólo para hacer progresar el quimo y sobre todo las heces.

Además, la involución de la cintura abdominal tiene otro inconveniente: priva los intestinos de su sostén, de ahí la caída de los órganos. Esta anomalía es frecuente en las mujeres obesas cuando siguen sin precaución un régimen adelgazante.

Haciendo desaparecer las masas de grasas que sostienen bien que mal su abdomen distendido, realizan en efecto las condiciones de la caída. La precaución consiste en reemplazar la grasa por la reconstitución de la cintura abdominal.

El régimen adelgazante debe en este caso ser progresivo y es indispensable darse paralelamente, mediante una gimnasia apropiada, músculos abdominales.

Algunos pensarán sin duda que la faja ortopédica puede paliar la atrofia de la musculatura.

Desde luego su utilidad es incontestable para un gran número de mujeres cuyo abdomen debe ser sostenido. Pero el llevar estas fajas no debe dispensar de un esfuerzo cotidiano para reforzar los músculos abdominales, a falta de lo cual la involución no hará más que acentuarse y a pesar de la cintura artificial el peligro de calda de los órganos aumentará.

3. *Los trastornos nerviosos.* El sistema nervioso, como es fácil de concebir, puede ser una causa de trastorno de la evacuación. A grandes rasgos, el nervio neumogástrico frena los movimientos del intestino y un nervio vagosimpático los acelera. Luego, cuando el funcionamiento del aparato nervioso está perturbado, por poco que sea, resulta de ello inevitablemente una incidencia intestinal que se traduce por diarrea o estreñimiento.

Un sistema nervioso débil o inestable favorece el padecer estreñimiento y otros trastornos. Lo mismo hace la irritabilidad exagerada, la emotividad excesiva.

«El estreñimiento —dice el doctor Vander— es una de las dolencias que, con mayor frecuencia, se debe a estados neuróticos, es decir, a perturbaciones de la vida mental y emocional, conflictos internos, etc. Según las más modernas investigaciones, aproximadamente la cuarta parte de las personas estreñidas lo son por causas mentales y emocionales. Suprimiendo éstas, el estreñimiento desaparece.

»Si la cara es el espejo del alma, se puede afirmar sin exageración que el vientre es un espejo de emociones diversas. Por el funcionamiento del estómago, del intestino, del hígado, del páncreas, y de los otros órganos del abdomen, se puede saber mucho del estado emocional de la persona».

El vientre es el fiel espejo de las emociones de tipo neurótico. Esto es debido a dos factores:

a) A que tanto el estómago como el intestino dependen grandemente, en su función, del estado del sistema nervioso vegetativo (parte del sistema nervioso que dirige el funcionamiento automático de los órganos).

b) A que el funcionamiento intestinal (evacuaciones) se ajusta durante la más tierna infancia al control de la voluntad, bajo la imposición de los padres o educadores. La mayoría de los trastornos neuróticos tienen su origen en la infancia. Cuando el niño es muy pequeño, orina y defeca cuando le viene en gana, sin control de ninguna clase. A medida que crece se le exige el control de las evacuaciones. Este control que el niño adquiere, va unido a ciertas emociones agradables o desagradables, que luego parecen olvidarse, pero que en realidad están guardadas en el subconsciente de la persona, que es como un oscuro almacén donde quedan escondidas gran número de vivencias o ideas perturbadoras de la infancia.

El mundo del niño pequeño es completamente distinto del nuestro y hemos de comprender que de todos modos se trata de funciones, no solamente naturales, sino indispensables para la vida. Las sensaciones de asco y desagrado que en la persona adulta van ligadas a estas funciones y materias son en gran parte debidas a la educación recibida, y no las sienten generalmente los niños pequeños ni las personas primitivas.

El psicoanálisis de los enfermos de estreñimiento neurótico ha demostrado que este trastorno puede ser debido a un *freno excesivo de los impulsos naturales* y normales del ser humano, por una educación demasiado severa en este aspecto, que hace que el ir de vientre se considere como una cosa mala, fea y sucia. La persona, sin darse cuenta, intenta evitarlo en lo posible, y así se produce el estreñimiento crónico.

Las emociones desfavorables y las ideas perturbadoras producen ondas de excitación que desde el cerebro se propagan a los centros nerviosos del intestino, donde producen espasmos o estrechamientos de éste. Además de estos espasmos, en otras partes del intestino se produce dilatación o atonía. Debido a estos trastornos, las materias fecales no pueden avanzar debidamente por el intestino y así se produce su retención, o sea, el estreñimiento, no pudiendo la persona evacuar a pesar de sus esfuerzos.

4. Otra causa del estreñimiento puede ser *la insuficiencia de líquidos.* Hemos visto siguiendo el funcionamiento del intestino que el braceo del quimo lo pone en contacto en totalidad con la mucosa intestinal que absorbe así la mayor parte del agua que contiene. Si esta desecación es exagerada, las materias progresarán difícilmente en el colon. Ahora bien, esta desecación es exagerada cuando el consumo de agua es insuficiente. ¡Pero se recomienda beber lo menos posible durante las comidas! Sí, para no estorbar la acción del estómago, diluyendo en una excesiva cantidad de líquido el ácido clorhídrico que segrega; sin embargo, hay que beber entre las comidas.

Hay que señalar que todos los intestinos no tienen el mismo poder absorbente. Varias personas del mismo peso, sometidas a la misma alimentación en cantidad y en calidad y recibiendo el mismo volumen de líquido, y sobre todo de agua, no tienen todas deposiciones de igual consistencia. En unos se halla un 80 por 100 de agua y la deposición es blanda, en otros un 75 por 100 de agua y la deposición es normalmente sólida, en otros aun un 70 por 100 y la materia fecal es entonces más seca y difícil de expulsar. Por debajo del 70 por 100 hay estreñimiento.

Estas diferencias se deben a factores personales de deshidratación actualmente mal conocidos.

5. El estreñimiento puede ser la consecuencia de un *trastorno del funcionamiento del aparato digestivo mismo.* La *hiperclorhidria* (exceso de secreción del jugo gástrico) provoca una irritación del intestino y también espasmos que retardan la progresión del quimo y de las

heces en el colon. La insuficiencia de la secreción gástrica da lugar a fermentaciones que entrañan diarreas y estreñimiento.

La importancia del papel desempeñado por el hígado es conocida de todos, y apenas hace falta subrayarla. Un litro de bilis debe ser vertido diariamente. Esta bilis debe ser amarillo parduzca y límpida y únicamente descargada en el intestino. Para esto, séanos permitido aconsejar al lector que cultive los buenos sentimientos, pues el mal humor, la envidia, la cólera, la propensión a exagerar los pequeños inconvenientes inherentes a la existencia, las contestaciones, la misantropía, la mezquindad, la avaricia, la hipocresía, retienen la bilis y abren el camino a la autointoxicación. En otros términos, «hay que hacerse bilis» pero por su buen humor, por su bondad, por su amor, dejarla discurrir en el buen sentido… Desde luego, no es tan fácil como aconsejarlo, pero vale la pena intentarlo.

En resumen, toda deficiencia hepática tiene su resonancia en el intestino y puede traducirse por el estreñimiento. Finalmente, un gran número de lesiones del intestino tienen por consecuencia el estreñimiento: estenosis, megacolon (tamaño enormemente grande del colon), dolicocolon (colon anormalmente largo), tumor, etc.

6. Los *trastornos de las glándulas endocrinas* pueden ser también causa de estreñimiento. Las tiroides y paratiroides, hipófisis, suprarrenales, genitales, etc., contribuyen en amplia medida al equilibrio del medio interior, lo que se puede traducir por integridad física. Tanto es así que es frecuente constatar que un hipotiroidismo (actividad deficiente de la glándula tiroides) entraña el estreñimiento y que un mal funcionamiento de los ovarios lo provoca también.

Por lo que respecta a la tiroides, ésta segrega una hormona, la *tiroxina,* de elevado contenido de yodo, que estimula al nivel del intestino la circulación del agua entre la sangre y este órgano. Si se tiene en cuenta que esta agua está cargada de cloruro de sodio, se comprenderá que esta circulación favorece el peristaltismo de las heces y su progresión normal en el colon.

Por otra parte, las estimulinas segregadas por el lóbulo posterior de la hipófisis excitan las contracciones de los músculos del intestino. Así también, el menor desarreglo en el funcionamiento de esta glándula capital puede entrañar el estreñimiento.

7. *En la mujer, los trastornos genitales* pueden ser otra causa de estreñimiento. La inflamación de las trompas uterinas o *salpingitis* —inflamación microbiana—, el fibroma, el quiste del ovario determinan una hinchazón que crece a medida que el volumen del tumor o el órgano inflamado aumenta. Esta hinchazón ejerce una compresión sobre el colon que provoca dificultad mecánica de exoneración.

En la mujer, también, el período de las menstruaciones con su fase de vagotonía, predominio del nervio vago o parasimpático, frena la exoneración. Lo mismo ocurre al principio del embarazo que inaugura una *hipervagotonía* (hiperfunción del sistema del vago o neumogástrico).

INFLUENCIA QUE LOS DISTINTOS TIPOS FÍSICOS DE CADA PERSONA TIENEN EN EL ESTREÑIMIENTO

El estreñimiento intestinal parece ser una de las maldiciones de la civilización; afortunadamente no afecta a todas las personas.

Aquellos que más generalmente sufren de estreñimiento son los que llevan una vida sedentaria, los que siguen un régimen de comida inadecuado, aquellos que tienen alguna lesión orgánica en los intestinos y los que, con el uso continuado de laxantes y purgantes, arruinan su funcionamiento. Estas últimas personas pueden tener además otras causas para su estreñimiento, además de las ya nombradas.

Si vamos a considerar el estreñimiento y el funcionamiento normal del intestino, debemos tener una idea acerca de lo que es normal: en primer lugar, hay que recordar que aquello que lo es para un sujeto puede no serlo para otros.

Tenemos, por ejemplo, la persona robusta, de tronco más bien largo y pecho y abdomen anchos; los individuos de este tipo tienen intestinos de un calibre comparativamente menor y no se enroscan mucho en el interior del abdomen. Además, estos sujetos comen una enormidad, tienen una tendencia a la actividad física y posiblemente también al temperamento agresivo. La función normal de estas personas es de dos a tres movimientos de vientre diarios. Un solo movimiento diario constituiría en ellos el estreñimiento, tanto como en aquellos que mueven su vientre día por medio.

Ahora consideremos el otro tipo de constitución física. Es decir, las personas altas y delgadas; tienden a agacharse al caminar y en general no sienten inclinaciones a la actividad física.

Sus estómagos descienden hasta el bajo vientre, y sus intestinos se curvan más que en las personas del tipo antes citado. En relación, estas personas tienen mayor cantidad de intestinos con menor cantidad de trabajo, porque no tienen ni ese gran apetito ni los hábitos físicos que exigen mayor cantidad de alimentos.

Las personas de un desarrollo mediano pueden ser descritas como aquellas que no son ni demasiado robustas ni son tampoco delgadas. Son, simplemente, de un término medio, en lo que se refiere a su esqueleto y sistema muscular; su estómago e intestinos están también entre los dos tipos que ya hemos nombrado. Se sienten perfectamente bien moviendo su vientre una vez por día.

¿Cuándo están estos diferentes tipos de individuos estreñidos? La persona robusta está probablemente estreñida cuando evacua su vientre una vez por día; la persona término medio, cuando no *se efectúa* la evacuación regular diaria, y, por último, la persona alta y delgada, cuando esta función se realiza en días alternados, y aún menos, muy frecuentemente.

El estreñimiento, entonces, no es lo mismo en una persona que en otra, porque no todos encuadran dentro de un molde determinado. La naturaleza no lo ha dispuesto así.

El intestino grueso, que está formado por el ciego, el colon y el recto, tiene dos importantes funciones: absorbe los residuos utilizables de los alimentos que llegan hasta allí y elimina los restos y eliminaciones de otros órganos anexos del aparato digestivo, que vienen de más arriba. Si el intestino grueso tuviera la sola función de eliminar los desperdicios de la alimentación, la creencia, más bien popular, de que es un desaguadero, estaría justificada. Pero no se trata de una cloaca que lleva los residuos inutilizables: es un órgano cuyo funcionamiento y estructura son de gran importancia.

La cara interna del colon está tapizada por una delicada membrana relativamente fácil de irritar. Es cierto que la mayoría de los enemas comunes o medicamentos no la dañan, pero pueden irritarla. Si el colon está distendido e irritada su membrana, el intestino trata de expeler su contenido.

En la pared del colon existen pequeñas células nerviosas que vienen a constituir el cerebro del intestino; estos pequeños centros nerviosos notan, con su sensibilidad característica, lo que es malo o desagradable a la membrana del colon, aunque el cerebro mismo de la persona no se aperciba de ello.

En los dos tercios superiores del intestino grueso el contenido es semilíquido; esta porción se encarga de la absorción de los alimentos y del agua. El último tercio, o sea, el inferior, absorbe agua y es al que en mayor parte corresponde la tarea de eliminar los residuos no asimilables.

Este órgano no funciona como un vagón de basura que acarrea los residuos de cada comida por separado; si se toma un polvo no digerible con alguna comida particular, los médicos dicen que pasa por todo el tubo digestivo en un tiempo establecido. Naturalmente, este intervalo variará según la constitución física de la persona. Por esto se ve claramente que el colon no ha sido hecho por la naturaleza para expulsar todo lo que llega a él, sino que tiene que desempeñar una función antes de proceder a la eliminación.

Esto explica también por qué se sienten ciertas dificultades en el intestino un día o dos después de haber tomado un purgante, o de haber vaciado el colon por medio de enemas. Un colon vacío no es un colon normal, y no puede desempeñar su trabajo cotidiano. Tratar de mantener el colon vacío es antifisológico y facilita la producción de desórdenes de diversa naturaleza.

Si la función del colon o de cualquier otro órgano está alterada durante mucho tiempo, se negará a actuar normalmente cuando tenga la oportunidad de hacerlo; esto no quiere decir que no haya solución satisfactoria cuando existe una lesión antigua del colon.

Muchas personas estreñidas prefieren pensar que su colon es perezoso, cuando en realidad son ellas, las personas mismas, las que son perezosas; o pueden estar desencaminadas, porque la gran mayoría de esas personas que sufren de estos desórdenes no tienen intestinos perezosos.

Consideremos ahora un caso típico: la señora X padeció de estreñimiento durante treinta años o más. Durante un primer tiempo había trabajado duramente, pero más tarde obtuvo una posición desahogada, por lo que dejando sus trabajos físicos, tuvo más tiempo y oportunidad de mimar y satisfacer ampliamente a su estómago. Comió bien, mejor dicho, con demasiada abundancia. Sin embargo, contrariando principios naturales, se acostumbró a atender a las funciones de su colon sólo cuando éste se las hacía recordar; de este modo luego le fue indiferente tener hábitos regulares.

Se convirtió entonces en una estreñida, tomó laxantes; los tomaba cada vez más seguidos, hasta que le fue necesario ingerirlos a diario. Entonces, el colon hizo su broma irónica a este insulto diario: se llenó de gases, causando indigestiones y malestar. La señora X descubrió que los enemas la mejoraban, pero para ello debía administrárselos muy frecuentemente. Llegó un momento en que le fue necesario vivir nada más que para su colon.

Un día, el colon, estando más bien vacío, fue sorprendido al recibir los restos de una gran comida, pobremente masticada. El intestino secó estos residuos, resultando de ello una obstrucción. La señora X pasó verdaderos apuros, antes de que su crisis fuera superada. El médico descubrió más tarde que todos los procedimientos y remedios que había usado esta señora para su estreñimiento habían trasformado la pared del colon, dándole una coloración casi marrón perdiendo la de rosado pálido, como pasa en todos los habituados a los laxantes. Pero la señora X aprendió una lección, y por propio sentido común y métodos adecuados reeducó más tarde su intestino hasta hacerlo funcionar normalmente, en menos de dos meses.

Ningún caso de estreñimiento se ha curado por el uso persistente de laxantes y purgantes; la gente no acierta a darse cuenta de cuán lejos están estas medidas de los planes que se propone la naturaleza. Además, esa expectativa que se produce en las personas al observar si estas medicinas producen el efecto deseado, empeora el alterado funcionamiento del colon. Puede sorprender, pero lo cierto es que la depresión y las emociones desagradables pueden intervenir en los desórdenes del intestino grueso. Esto acontece, naturalmente, en ciertos individuos.

De todas maneras, debemos proceder cuerdamente. El estreñimiento no se resuelve con un frasco de píldoras laxantes o con un irrigador para enemas. El sentido común debe guiarnos para buscar las causas que están en juego y eliminarlas.

LOS EFECTOS
DEL ESTREÑIMIENTO

El estreñimiento habitual crónico acompañado de otros trastornos
funcionales debidos a la vida y alimentación antinatural
y malsana puede provocar varios estados morbosos,
disminuyendo así la energía y la vitalidad orgánicas.

Toda una serie de estados morbosos encuentran su origen en un estreñimiento crónico. «Las toxinas y demás sustancias perjudiciales absorbidas por el intestino –dice el doctor Vander– penetran en el torrente circulatorio, y llegan primeramente al hígado, donde, como sabemos, tienen que destruirse. El hígado, además de la importante función de segregar la bilis, tiene un gran poder antitóxico y neutraliza gran cantidad de productos venenosos que provienen de los procesos de putrefacción. A esta facultad del hígado destructora de tóxicos se debe que muchas personas resistan durante largo tiempo, sin perjuicio aparente, la intoxicación intestinal. No obstante, la acción constante de los tóxicos sobre el hígado termina por hacerlo enfermar, entorpeciendo su funcionamiento. Este entorpecimiento origina la entrada de materias tóxicas en el torrente circulatorio y el aumento de trabajo de los riñones y la piel, que se encuentran obligados a eliminar una parte de las sustancias nocivas que el hígado no destruye».

Los peores males han sido atribuidos desde antiguo al estreñimiento. En 1765, el médico suizo Von Haller afirmaba: «En el estreñimiento, los humores impuros de las heces son absorbidos y llenan la sangre de humores acres que producen la fiebre, las hemorragias, la consunción y la insanidad». Hoy día, numerosos prácticos le imputan corrientemente la autointoxicación, es decir, el aumento de putrefacciones intestinales y absorción de sustancias tóxicas que alteran la normalidad química de la sangre *(toxemia)* y humores *(autointoxicación intestinal)*.

Las bacterias de la putrefacción que abundan tanto en las personas carnívoras y estreñidas, son las causantes de gran parte de los tóxicos que se absorben en el intestino del estreñido, aparte de la bilis y otras secreciones y excreciones glandulares y humorales que a él van a parar. El desarrollo de estas bacterias se contrarresta con la alimentación vegetariana, que favorece el medro de las bacterias opuestas (productoras de ácido láctico, butírico, acético…, que estimulan los movimientos del intestino grueso), y con la ingestión de leche agria o fermentada (yogur), a la cual se atribuye la longevidad de los habitantes de Bulgaria y el Cáucaso.

«Importante puede ser –señala el doctor Vander– la acción ejercida por los venenos del intestino sobre el sistema nervioso en general y especialmente el cerebro». Veamos un resumen de los trastornos que pueden ser debidos (por lo menos en parte) a casos de estreñimiento crónico: *jaqueca, insomnio, irritabilidad, pereza, depresión, tristeza, etc.*

Autointoxicación

Según el científico búlgaro Metchnikoff, los fenómenos involutivos y regresivos que caracterizan a la vejez serían debidos a un proceso de lenta y progresiva autointoxicación de origen intestinal. Siendo el estreñimiento crónico causa de autointoxicación, es fácil deducir que los estreñidos son seguros candidatos a una vejez prematura.

La autointoxicación es la intoxicación o envenenamiento producido por las sustancias tóxicas *endógenas,* es decir, producidas en el interior del organismo mismo del intoxicado. Bajo el efecto de la asimilación y de la desasimilación –*metabolismo*– y de la fatiga muscular y nerviosa, se forman sustancias tóxicas en nuestro cuerpo. Se trata de un fenómeno normal, y estas toxinas son neutralizadas mediante la acción del hígado, de las glándulas endocrinas tiroides y suprarrenales, y eliminadas por los riñones, los pulmones, la piel. Pero en cuanto sobreviene un trastorno en el metabolismo, en el sistema nervioso, en un órgano de neutralización o de eliminación, el envenenamiento se instala y se desarrolla más o menos rápidamente.

El trastorno es, pues, serio puesto que se trata de una alteración del medio interior y del tejido conjuntivo o más exactamente retículo-endotelial, esa «raíz biológica del organismo». Pero lo importante para lo que aquí nos ocupa es saber si el estreñimiento puede ser el origen de esa autointoxicación, si él es verdaderamente una causa.

Sabemos que una flora microbiana vive en el intestino y que las bacterias pululan en el ciego y el colon ascendente. Si a consecuencia de errores de la alimentación o de trastornos en la secreción de la glándulas digestivas, el bolo alimenticio no es digerido perfectamente, se producen putrefacciones o fermentaciones microbianas intensas. El desequilibrio de la flora microbiana al nivel del intestino grueso provoca pues la formación de un medio tóxico.

Estas observaciones nos permiten llegar a una conclusión importante, a saber, que para un tubo digestivo que funciona normalmente el contenido del colon no es tóxico. Conclusión que parece invalidar las teorías de Metchnikoff y de sus discípulos sobre el «colon homicida».

Ahora bien, es indiscutible que el estreñimiento causa fácilmente fermentaciones y putrefacciones en el intestino. La putrefacción produce gases malolientes, que en parte se absorben junto con otras sustancias venenosas y perjudiciales, pasan a la sangre y son conducidas a todo el cuerpo *si el hígado no trabaja bien,* y pueden ocasionar entonces una intoxicación general de todo el organismo, como subraya el doctor Vander. El hígado, órgano de la máxima importancia entre los órganos digestivos, tiene numerosísimas funciones, y una de las más destacadas es la destrucción y neutralización de las impurezas, venenos y toxinas que entran en la sangre.

No nos apresuremos a afirmar rotundamente, como hacen algunos autores, que las sustancias tóxicas que provienen del estreñimiento, y que dado que existen en todos los estreñidos, pasan a la sangre y son responsables de la autointoxicación.

Siguiendo los razonamientos de Eric Nigelle, hay que considerar que el intestino no forma simplemente un conducto poroso que absorbe las sustancias capaces de «filtrar» a través de las mucosas y rechazando los desechos. Estas mucosas son tejidos vivos y cuando están sanas tienen un importante papel de defensa. El revestimiento interno epitelial constituye un verdadero dique «inteligente» contra las toxinas y los microbios. Además, si una pequeña cantidad de veneno o de bacterias llega a pasar, las defensas naturales de un organismo en buena salud las neutralizan de seguro. Luego, concluye el citado autor, no es fatalmente el estreñimiento el que lesiona esa barrera, sino los errores de la alimentación y más generalmente los errores en el modo de vivir, y a menudo también el abuso de laxantes y enemas. Bajo este punto de vista, el estreñimiento podría considerarse como un síntoma más bien que como una causa.

Sea como sea, el estreñimiento es siempre una manifestación morbosa íntimamente relacionada con la autointoxicación y las impurezas de la sangre.

Apendicitis

La apendicitis es la inflamación del apéndice, generalmente aguda, pero que puede ser también crónica. El apéndice es el pequeño intestino de fondo ciego, parecido a un dedo de guante que se inserta en el intestino ciego y que está situado en el cuadrante inferior derecho del abdomen.

La *apendicitis aguda* es una enfermedad común a los dos sexos y a todas las edades, aunque parece que se afecta más el sexo masculino y 1a edad juvenil (18 a 30 años). La enfermedad es mucho más frecuente en los tiempos modernos que en los pasados, pero probablemente se trata de una frecuencia mayor sólo aparente, en el sentido de que los modernos medios de investigación diagnóstica radiológica han permitido descubrir apendicitis que anteriormente pasaban ignoradas o indiagnosticadas, hasta que una peritonitis aguda por perforación del apéndice se llevaba el enfermo en pocas horas.

La *causa determinante* de la inflamación apendicular es el desarrollo de los gérmenes patógenos sobre las paredes del apéndice: el estreptococo, el diplococo, el colibacilo (es un huésped habitual del intestino humano generalmente innocuo, pero que puede en ciertas circunstancias hacerse virulento y por lo tanto patógeno), los microbios anaerobios, etc. También hay que tener presente la posibilidad de una *apendicitis tífica,* expresión clínica *de* una infección tífica de localización apendicular por implantación del bacilo de Eberth en las paredes del apéndice.

En cuanto al origen de los bacilos que anidan en las paredes del apéndice provocando su inflamación, algunos investigadores sostienen que son de *origen intestinal,* es decir, que son los mismos que se encuentran habitualmente en el intestino humano, los cuales en condiciones propicias serían capaces de provocar la inflamación apendicular. Otros, en cambio, opinan que los microbios de la apendicitis no provienen de la luz intestinal, sino que llegan a las paredes apendiculares por vía sanguínea a partir de un foco séptico lejano: amígdalas inflamadas, dientes cariados, forúnculos, abscesos, etc. Finalmente, otros opinan que algunas apendicitis representan la localización de una infección sanguínea generalizada (gripe, tifus, etc.).

Probablemente todas estas teorías son verdaderas, ya que, con seguridad, no siempre los bacilos de la inflamación apendicular tienen el mismo origen.

En cuanto a *las causas que favorecen el desarrollo de los microbios patógenos* en las paredes apendiculares provocando su inflamación, figura en primer lugar la propia constitución de las paredes apendiculares llenas de flexuosidades y de pliegues; en el fondo de uno de estos pliegues –en los que suele formarse el foco inicial de la apendicitis– es fácil la retención para provocar el aumento de la virulencia y multiplicación de los microbios.

También la *retención de heces en el estreñimiento* y la penetración de cuerpos extraños diversos –cálculos fecales, vermes (sobre todo oxiuros), pequeños huesos de fruta, etc.– en la luz del apéndice provocan el estancamiento de las secreciones, el moco y el material fecal con lo que se favorece el aumento de la virulencia de los gérmenes. Estos microbios, al aumentar en poder patógeno y en número como consecuencia del ambiente favorable, atacan las paredes del apéndice provocando su inflamación en la ocasión más propicia. Esta ocasión propicia se presenta –según la teoría neurovascular de Ricker– cuando existen trastornos más o menos profundos de la regulación neurovegetativa de la circulación sanguínea de las paredes apendiculares.

Como consecuencia de estos trastornos, una porción más o menos extensa queda mal nutrida al disminuir el aflujo sanguíneo determinado por el espasmo de la respectiva arteriola. En consecuencia, el ataque microbiano se hace factible.

La *torsión del apéndice,* sobre todo cuando tiene cierta longitud, puede conducir a un defecto de irrigación de las paredes apendiculares, y por lo tanto, a su nutrición deficiente disminuyendo la resistencia a los gérmenes patógenos.

El doctor Vander pone de relieve que hay una estrecha relación entre la alimentación carnívora y el estreñimiento y que, por lo tanto, nada ha de extrañar que ambos factores se encuentren como causas fundamentales de la apendicitis.

La apendicitis es desconocida en los pueblos de vida primitiva y con una alimentación bastante natural; es más frecuente en las ciudades que en los pueblos; es prácticamente desconocida entre los vegetarianos; es muy rara en aquellos pueblos que dan gran importancia al yogur y al kéfir en la alimentación. Por otra parte, las estadísticas de las clínicas de cirugía demuestran que la inmensa mayoría de los operados de apendicitis eran personas que comían mucha carne. También se ha observado que en las épocas de guerra y hambre, en las que escasea la carne, los ataques de apendicitis son rarísimos.

En resumen, cualquiera que sea la causa, *siempre el estreñimiento predispone a la apendicitis. Para* evitar ésta, hay que combatir aquél y evitar el exceso de carne en la alimentación, introduciendo la frugalidad en las costumbres alimenticias.

Síntomas de la apendicitis aguda. El cuadro clínico clásico de la apendicitis aguda es el siguiente: aparición brusca e imprevista de un vivo dolor (a veces violentísimo) de tipo cólico, que se inicia en un punto del cuadrante inferior derecho del abdomen. Este punto ha sido localizado de diferente forma por los autores; no obstante, la mayoría lo localizan en el punto medio de la línea que une el ombligo y la espina ilíaca anterosuperior; es el llamado punto de Mac Burney. Este dolor se irradia hacia el resto del vientre, especialmente hacia el ombligo y el estómago, y se hace más vivo a la palpación del cuadrante inferior derecho del vientre. Se acompaña de fiebre irregular, vómitos, náuseas, meteorismo abdominal, cierre abdominal (ausencia de deposiciones).

La mano del médico que palpa produce una exacerbación de los dolores, sobre todo cuando después de presionar sobre el cuadrante inferior derecho del abdomen se levanta la mano bruscamente, es decir, en la fase descompresiva de la palpación. Con frecuencia, el médico al palpar encuentra una resistencia en los músculos de la pared abdominal, provocada como medida preventiva y defensiva por el apéndice inflamado. Se presenta también aceleración de los latidos cardíacos *(taquicardia)* y pulso pequeño y frecuente. En el examen sanguíneo se observa un aumento del número de glóbulos blancos *(leucocitosis)*, que demuestra la existencia del factor infeccioso en la apendicitis.

Diagnóstico. Cuando el cuadro clínico que se presenta es el clásico que acabamos de describir, no existen dudas diagnósticas. Es posible la confusión con un ataque agudo de *colecistitis* (inflamación de la vesícula biliar) cuando el dolor se origina en la porción superior derecha del abdomen, coincidiendo con el punto colecístico; los apéndices que se dirigen hacia arriba suelen al inflamarse dar un dolor que se confunde con el de la colecistitis.

Las crisis dolorosas de la *úlcera gástrica* y *duodenal* pueden también confundirse, pero en ellas el dolor es más intenso en la región epigástrica, o sea, en la región media superior del vientre en cuya profundidad corresponde el estómago y el duodeno. También cabe confusión con el *cólico renal derecho;* en éste se presentan síntomas de participación urinaria y el dolor se inicia en la región lumbar derecha, irradiándose en los casos típicos hacia la parte baja del vientre y hacia el centro (hacia la vejiga). Hay que excluir también la posibilidad de un *cólico saturnino* por la presencia de otros síntomas de la intoxicación por el plomo.

La *pulmonía,* sobre todo en los niños, puede producir un intenso dolor en la región apendicular, que puede originar un error diagnóstico si el médico no explora los pulmones.

Complicaciones. La apendicitis aguda puede llegar *a supurar, a gangrenarse y a perforarse.* La supuración conduce a la formación de un *absceso profundo periapendicular* cuando las defensas orgánicas son lo suficientemente intensas para circunscribir y limitar el proceso. En cambio, cuando dichas fuerzas defensivas flaquean, se produce una supuración generalizada de toda la membrana peritoneal que envuelve las vísceras abdominales *(peritonitis aguda generalizada de tipo supurativo de origen apendicular).*

La evolución *gangrenosa* de la apendicitis tiene lugar cuando intervienen los microbios anaerobios.

La *perforación* del apéndice inflamado se presenta, sobre todo, en los casos en que se demora la operación de las apendicitis supurada y gangrenosa; la perforación da lugar a la formación de una peritonitis aguda generalizada gravísima.

Tratamiento. En todos los casos en que se sospeche la existencia de una apendicitis, el médico debe prescribir un reposo absoluto en cama; abstención durante el período agudo de toda ingestión de alimentos (sólo se le permitirá tomar de cuando en cuando algún sorbo de agua fría); prohibición de purgantes que puedan provocar la perforación del apéndice inflamado, al pasar la descarga diarreica provocada por éste; no se suministrará ningún opiáceo –con finalidad antidolorosa– ni antiespasmódico, que falseando el cuadro clínico hagan más dificultoso el diagnóstico; se aplicará una bolsa de hielo en el cuadrante inferior derecho del abdomen con la protección previa de un paño de lana intermedio. En todos los casos, llamar con urgencia al médico, por tratarse de una enfermedad que requiere a veces una intervención rápida, y el médico es quien decidirá sobre la necesidad o la conveniencia de una operación.

En cuanto a la alimentación, los primeros días, ayuno absoluto, dando únicamente al enfermo agua azucarada para calmar la sed o infusiones débiles de manzanilla o menta, en pequeña cantidad cada vez. Contra los vómitos podrá tomarse un poco de agua helada. Lavar o refrescar frecuentemente la boca.

Cuando el enfermo mejore podrá dársele, a lo más, un poco de caldo vegetal sin sal, para ir poco a poco y con mucha prudencia aumentando la cantidad de alimentos.

Hasta hace algunos años se discutía el momento oportuno de la operación; nadie negaba la necesidad de operar, pero ¿cuándo?, ¿en *caliente?* (o sea, inmediatamente sin esperar la resolución del ataque apendicular en curso) o ¿en *frío?* (cuando el ataque apendicular hubiera pasado). En la actualidad, las intervenciones precoces –es decir, los que quieren intervenir sin esperar la resolución del cólico apendicular– han impuesto su criterio, por lo que *se debe operar antes de las 24-36 horas de iniciado el ataque.* Si por un motivo cualquiera este tiempo hubiera ya trascurrido, la intervención quirúrgica puede esperar hasta que se haya resuelto el proceso agudo completamente cuando la remisión de toda la sintomatología induzca a pensar que el proceso se resuelva espontáneamente; no obstante, hay que tener siempre una «expectación vigilante y armada», o sea, con el cirujano a mano, dispuesto a intervenir en cualquier momento cuando la esperanza de una resolución espontánea fallase. La intervención de *la apendicectomía «en frío»* –es decir, después de haber superado el ataque– suele hacerse después de uno o dos meses del ataque; siempre es necesaria esta intervención porque el ataque apendicular suele repetirse. La precocidad del diagnóstico y de la intervención operatoria, así como el perfeccionamiento de la técnica quirúrgica contemporánea, han reducido muchísimo el tanto por ciento de mortalidad en la apendicitis aguda.

Apendicitis crónica. Puede iniciarse con los caracteres de cronicidad desde un principio, o bien ser consecuencia de varios ataques de apendicitis aguda. El cuadro clínico puede ser de tipo continuo, subcontinuo o recurrente y sus síntomas son de tipo diverso: febrícula (37,1°-37,5°) continua o periódica, dolores de tipo cólico en la derecha del bajo vientre, sensación de peso y de molestias en la región apendicular, náuseas, falta de apetito, lengua saburral, digestión difícil y a veces dolorosa, estreñimiento alternado con diarreas, dolores frecuentes de cabeza, debilidad, insomnio, irritabilidad e inquietud nerviosa y adelgazamiento lento pero progresivo.

En los casos de apendicitis crónica es mejor intentar una cura *médica* antes de enviar el enfermo al cirujano, por lo menos durante una temporada. Se adoptará una alimentación rigurosamente vegetariana, absolutamente privada de salsas, picantes e irritantes; faja de lana en el vientre para resguardarse de los enfriamientos; bolsa de agua caliente en la región apendicular en los períodos de reagudización del proceso inflamatorio y de los dolores. También ayudan a calmar estos dolores los baños de agua caliente durante 20 o 30 minutos de la parte inferior del cuerpo que se practican sentado en la pila de baño.

Los apendicíticos crónicos por el estreñimiento pertinaz que padecen tienen la mala costumbre de purgarse reiteradamente; con esto lo único que logran es acentuar el estreñimiento, y cuando coincide con una reagudización de los fenómenos inflamatorios, provocar un desastre: la peritonitis aguda general por perforación de la pared del apéndice inflamado por la acción de la descarga diarreica.

Si el tratamiento médico fracasa, hay que recurrir a la intervención quirúrgica: extirpación del apéndice inflamado. Pero no siempre la intervención quirúrgica logra eliminar las molestias del paciente, ni aun en aquellos casos en que la apendicitis crónica no va unida a otras entidades nosológicas abdominales (úlcera de estómago o duodeno, colecistitis, colitis, etc.) o genitales (anexitis, ovaritis). En estos casos hay que admitir la existencia de una *apendicopatía nerviosa:* son sujetos –generalmente mujeres– con estigmas claros de labilidad psíquica, de sensibilidad y emotividad exagerada, y que se preocupan excesivamente de sus molestias aunque sean mínimas. Estas mujeres están sujetas a crisis espásticas dolorosas del tubo digestivo por alteración del equilibrio neurovegetativo; existe un predominio del tono vagal que como sabemos provoca los movimientos peristálticos que contraen las paredes intestinales *(vagotonía).*

Por otra parte, la *extirpación sistemática del apéndice en todos los casos de molestias apendiculares choca contra una consideración fisiológica de orden general:* ¿es posible que el pequeño órgano apendicular pueda extirparse impunemente, cuando todos los órganos y tejidos tienen una función específica en la integridad del organismo? Los estudios modernos han proyectado luz sobre un punto oscuro hasta hace poco, cual es el de las *funciones del apéndice*, que como veremos a continuación son múltiples y nada despreciables:

- función *motora intestinal:* a partir del apéndice se originan estímulos que, por vía nerviosa refleja, excitan los movimientos peristálticos de la pared intestinal, favoreciendo la rápida progresión del contenido intestinal hacia el ano y por lo tanto favoreciendo la defecación. Por eso, en los que tienen el apéndice inflamado y funcionalmente deficiente y en los operados de apendicetomía, la defecación está dificultada y retardada. Vemos así que si, por un lado, el estreñimiento crónico puede ser causa predisponente de la apendicitis, por otro lado, *la falta del apéndice puede a su vez ser causa de estreñimiento;*
- función *secretoria intestinal* por la riqueza de la mucosa intestinal en glándulas y células caliciformes secretoras;
- función *protectora antiinfecciosa,* en virtud del tejido linfoide que abunda en la submucosa apendicular, por lo que se puede calificar el apéndice de «amígdala intestinal» (también en las amígdalas existe gran riqueza de tejido linfoideo o adenoideo);
- función de *emuntorio,* es decir, de eliminación por el tubo digestivo de muchos microbios patógenos penetrados en la circulación sanguínea;
- función *endocrina,* es decir, de producción de hormonas no bien identificadas en su función.

Todas estas funciones del apéndice tienen su importancia, y no se puede privar a un organismo de este intestino impunemente y a la ligera sólo porque existan ciertas molestias; además, en muchos casos, aun después de la apendicectomía, estas molestias no desaparecen, como ocurre por ejemplo en la apendicopatía nerviosa. Todas estas consideraciones las debe recordar el cirujano honesto para que no opere sistemáticamente todos los casos de molestias apendiculares crónicas. Hace unos años se había extendido en América la costumbre, entre los cirujanos, de extirpar sistemáticamente el apéndice enfermo o sano cuando se procedía a una intervención abdominal por otra causa. Se decía que era mejor extirpar el apéndice, aunque estuviera sano, antes de que enfermara, sobre todo cuando se tenía a mano en las intervenciones. *Tal criterio atenta contra la madre naturaleza, que no ha creado en nuestro organismo ningún órgano inútil.*

La medicina natural, con su incontestable acción preventiva, consigue que sus adeptos, al evitar, entre tantísimos otros males, el estreñimiento, conserven intacto y perfectamente sano su apéndice, el cual puede así cumplir la nada despreciable misión que la madre naturaleza le ha confiado.

Arteriosclerosis

El *envejecimiento prematuro* suele ser debido a la arteriosclerosis (endurecimiento de las arterias) y ésta puede ser originada o favorecida por el estreñimiento. La arteriosclerosis y el envejecimiento prematuro se deben a muchas causas, pero entre otras destacan por su importancia las infecciones y las intoxicaciones de todas clases, así como los errores en la alimentación.

La arteriosclerosis es la enfermedad más frecuente de las arterias, que consiste en una alteración anatomopatológica de tipo degenerativo y productivo de sus paredes, que no compromete solamente la estructura de las propias paredes arteriales, sino también la importante función circulatoria sanguínea y por lo tanto la nutrición y actividad funcional de los diferentes tejidos y órganos de nuestra economía. Es típica de la edad senil, y tiene gran importancia práctica por la enorme influencia que ejerce, tanto en los fenómenos de la senilidad como en la duración de la vida humana.

Se ha dicho que «el hombre tiene la edad de sus arterias». Este célebre aforismo, expuesto a propósito de la arteriosclerosis, quiere indicar que las arterias elásticas y blandas se hacen con los años rígidas y duras, flexuosas y con su luz más reducida. Las arterias durante la edad juvenil tienen capacidad para dilatarse y contraerse, adaptándose a las exigencias de la circulación sanguínea, que como sabemos varía según la actividad funcional de los órganos y tejidos; en cambio, las arterias de la edad senil han perdido la capacidad de adaptarse a las exigencias de la circulación por haber perdido también su capacidad elástica; por lo tanto, no puede ni dilatarse ni contraerse, de acuerdo con las necesidades funcionales de la actividad de los tejidos y de los órganos.

El conocimiento del *porqué, cómo* y *cuándo* aparece la arteriosclerosis es uno de los capítulos más debatidos de la medicina, porque –a pesar de los numerosos estudios y experiencias que se han hecho a este respecto sobre todo en los últimos cincuenta años– la cuestión no se ha aclarado y no existe unanimidad en la defensa de una de las numerosas teorías patogenéticas que se han emitido. Dejando aparte la teoría *inflamatoria* del gran Virchow, superada en la actualidad y que atribuía la arteriosclerosis a una inflamación de las paredes arteriales, citemos rápidamente las teorías que en la actualidad están más en boga para explicar la patogenia de esta enfermedad:

1. *Teoría de la alteración progresiva de la nutrición de las paredes arteriales* como consecuencia de la concurrencia de varios factores: mecánicos, tóxicos, funcionales.
2. *Teoría del recambio colesterínico* que se apoya en el hecho de que la sustancia grasa de las lesiones degenerativas arterioscleróticas está constituida preferentemente por colesterol. Según esta teoría, la enfermedad se debe a un exceso de secreción de colesterol por parte de las glándulas suprarrenales y, por lo tanto, a la presencia en la sangre de una tasa de colesterol mayor que la normal *(hipercolesterolemia);* no obstante, este aumento de la colesterolemia en los arterioscleróticos graves no es, ni mucho menos, un hecho constante, salvo en los casos en que la arteriosclerosis va unida al mixedema. A pesar de esta importante objeción, la teoría de la hipercolesterolemia es de las que tienen mayor número de adeptos.

3. *Teorías mecánico-funcionales,* como la de Thoma, la de Marchab-
   de y Marchiafava, la de Rockitansky y las de otros autores, que
   no vamos a examinar aquí por exceder de los límites de este
   trabajo.

4. *Teorías tóxico-infecciosas y tóxicas:* los mantenedores de estas teorías consideran la arteriosclerosis como originada por una intoxicación de las paredes vasculares por los *venenos microbianos* (reumatismo, tuberculosis, tifus, etc.), por los *venenos externos*
   (abuso de café, té, tabaco, alimentación cárnea y sobre todo la
   intoxicación crónica por el alcohol) o por los *venenos internos*
   (de origen putrefactivo y fermentativo intestinal o por la alteración del metabolismo en la gota, la diabetes, el neuroartritismo,
   etc.). Esta teoría se coordina íntimamente con la primera (o sea,
   con la que trata de la alteración nutritiva de la pared vascular) en
   el sentido de que estos trastornos nutritivos suelen ser de origen tóxico, o sea, debidos a los venenos microbianos exógenos
   o endógenos que alteran los procesos nutritivos de las paredes
   arteriales.

5. *Teoría endocrina,* que relaciona la arteriosclerosis con los trastornos del equilibrio hormonal.

6. *Teoría recientísima de los llamados quilomicrones,* según la cual la
   arteriosclerosis se debería al depósito en la capa más profunda
   de la pared arterial de *quilomicrones,* es decir, de pequeños acúmulos de grasa presentes en la sangre después de la ingestión de
   alimentos, ricos en sustancias grasas (carnes grasas, tocino, mantequilla, etc.).

Como vemos, se han emitido las teorías más dispares para explicar la
génesis de la arteriosclerosis: probablemente ninguna es totalmente falsa o verdadera. La verdad hay que buscarla no en un factor único, sino
en el concurso de varios factores, cuya mutua interferencia originaría
un estado biológico adecuado para que se originara la enfermedad. Por
eso, todos los factores citados hay que considerarlos como concausas,
es decir, como elementos que actúan en sentido combinado; ninguna
de estas causas por sí sola es capaz de determinar la enfermedad y, para

que se produzca ésta, no debe faltar ninguna de las causas. En otras palabras, la arteriosclerosis tendría un origen múltiple, en el que participan los factores anteriormente citados y probablemente otros que desconocemos aún. Sin embargo, la medicina natural, sin desdeñar, ni mucho menos, las otras posibles teorías, da mayor importancia a las *tóxico-infecciosas* (grupo 4.º), así como a la del *recambio colesterínico* (2.º).

No hay duda de que, cuando hay estreñimiento crónico, se producen en el intestino putrefacciones anormales cuyos productos son muy perjudiciales y atacan las arterias del hígado y del riñón, siendo causa de arteriosclerosis y vejez prematura. Por lo tanto, el que quiera mantenerse joven y prolongar la vida, entre otras muchas cosas, ha de combatir el estreñimiento o, lo que es mejor todavía, evitar su aparición mediante un régimen apropiado. (Doctor Vander).

Avitaminosis

Se denominan así las enfermedades producidas por la carencia o gran escasez de vitaminas en la alimentación. «Entre las consecuencias lamentables del estreñimiento, poco conocidas –afirma el doctor Vander–, está la perturbación que ocasiona en el aprovechamiento de las vitaminas Cuando el estreñimiento es de larga duración, va acompañado muchas veces de diarreas que interrumpen, de tanto en tanto, los períodos de estreñimiento. Llegado el enfermo a este estado, ya tiene algo más que un simple estreñimiento; es decir, ya hay inflamación en los intestinos. Es en esta fase del estreñimiento cuando se perturba la absorción de las vitaminas».

El estreñimiento crónico, al perturbar la reacción química intestinal y favorecer el aumento de malignidad de los microbios normalmente inofensivos y la sustitución de los microbios benéficos por otros malignos, hace que gran cantidad de vitaminas sean destruidas ya en el intestino.

«Por culpa del estreñimiento –dice el doctor Vander– se pierden y destruyen grandes cantidades de vitaminas, pero con motivo de esta disminución de vitaminas, y en particular de la vitamina A, el intestino se debilita, se agrava el estreñimiento o la inflamación, lo cual, a su vez, tiene como consecuencia que se disminuya aún más el aprovechamiento de las vitaminas. He aquí, pues, cómo se establece el círculo vicioso. Se consigue en gran parte romper este círculo con un régimen adecuado, y totalmente si se emplean además los restantes agentes naturales tal como recomienda la medicina natural. Así se evitará esta mala utilización de las vitaminas, tanto más cuanto que los regímenes recomendados ya son de por sí muy ricos en vitaminas».

Recordemos que las vitaminas son sustancias orgánicas que existen en pequeñas cantidades en materias nutritivas que, sin ser alimento, son indispensables para el desarrollo y funciones del organismo. Su falta o deficiencia en el régimen alimenticio provoca *estados carenciales* o *hipovitaminósicos*.

Colibacilosis

En el intestino grueso viven bacilos no solamente inofensivos sino indispensables a la digestión. Por culpa del estreñimiento –afirman algunos autores– se altera el contenido del intestino y se producen putrefacciones que pueden debilitar y hacer desaparecer los microbios benéficos, apareciendo otros perjudiciales. Normalmente estos microbios benéficos no pueden dañar al organismo, porque se establece un equilibrio entre su acción y las defensas del tubo digestivo que los mantienen a raya, permitiéndoles tan sólo aquellas actividades que no sean perjudiciales. Pero cuando hay putrefacciones intestinales, este equilibrio –según esos autores– se altera, las defensas disminuyen y entonces estos microbios se vuelven malignos. Esto ocurre, en particular, con un microbio que abunda en la parte inferior del intestino grueso, llamado colibacilo. Entonces puede originar la enfermedad llamada *colibacilosis*.

Hablamos aquí de la colibacilosis porque es frecuente –según acabamos de ver– oír decir que esta afección debe atribuirse al estreñimiento. Según Eric Nigelle, ésta es una de esas afirmaciones *a priori* que no resisten el examen. Sabemos ahora –dice el mismo autor– que una mucosa intestinal no deja pasar ni las toxinas ni los microbios. Algunos objetan sin duda que un intestino estreñido no está sano. Esto sería exacto si el estreñimiento fuese una causa, pero es, al parecer solamente un efecto.

Un intestino estreñido es un intestino que funciona mal por las razones que hemos expuesto. En cambio, un intestino lesionado, irritado por laxantes o purgas frecuentes, fatigado por errores de la alimentación, será atravesado por los colibacilos. Si la irritación es pasajera, una crisis de colibacilosis más o menos aguda se producirá marcada por trastornos urinarios y digestivos. Pero todo volverá al orden con bastante prontitud. Si, por el contrario, la lesión es crónica, la colibacilosis persistirá y revestirá formas complicadas: trastornos urinarios y renales, accidentes hepato-biliares, orquitis, metritis, flebitis, afecciones psiconerviosas, trastornos de la sangre, septicemia.

En resumen, según Nigelle, la colibacilosis tiene por origen una lesión intestinal y no directamente el estreñimiento.

Para el doctor Vander, muchos de los trastornos que ocasiona el estreñimiento son, en realidad, síntomas de una colibacilosis crónica. Ésta tiene de peculiar que, por lo regular, comienza lentamente y trascurre sin fiebre, a no ser en los períodos de recrudecimiento que son las crisis agudas de la colibacilosis crónica. Al disminuir la resistencia, el colibacilo se multiplica en cantidades enormes, mucho más de lo normal, agravándose así el padecimiento. No sólo ataca al organismo por sus venenos, al pasar éstos a la sangre, sino que en los casos graves pueden entrar directamente los microbios en ésta, ya que la pared del intestino, alterada por el estreñimiento, les ofrece una barrera muy débil. La colibacilosis se trasforma entonces en una infección de la sangre, presentando el enfermo un estado parecido al del tifus, con fiebre elevada, postración, atontamiento y delirio. En los casos de larga duración, el colibacilo se encuentra en la orina, adonde ha llegado por medio de la sangre, pudiendo entonces producir enfermedades del riñón y de las vías urinarias. También puede infectar las vías de la bilis, causando ictericias y otras enfermedades del hígado.

Hemorroides

Las hemorroides o almorranas son, por lo general, un episodio del estreñimiento, pues la acumulación de materias endurecidas, ejerciendo una presión sobre el recto, dificultan la circulación de la sangre por sus venas y éstas se dilatan.

Las hemorroides son dilataciones varicosas de las venas del intestino recto, que provocan estasis de sangre en su interior. Las hemorroides producen una serie de molestias: sensación de pesadez molesta, prurito, quemazón, verdadero dolor durante y poco después de la defecación, tenesmo rectal.

El tratamiento de las hemorroides consiste:

- en una *dieta frutovegetariana* preferentemente, con limitación de los farináceos y de la carne y con exclusión de las bebidas alcohólicas, de las especias, de los alimentos picantes e irritantes (salazones, quesos fermentados, caza, etc.); también se debe prohibir el café;
- en el *tratamiento del estreñimiento,* el peor enemigo de las almorranas, al objeto de ablandar las heces y lograr la deposición diaria, con la consiguiente eliminación de la retención fecal intrarrectal que mantiene y agrava el fenómeno hemorroidal. También la fruta cocida (manzana, pera) combate el estreñimiento y asegura una defecación diaria poco penosa;
- en la aplicación local de *compresas frías.*

LA CURACIÓN
DEL ESTREÑIMIENTO

El estreñimiento no se vence con purgantes. Una vida más sana,
una dieta racional y algunas medidas útiles, son suficientes,
a menudo, para eliminar este trastorno.

Los purgantes no suprimen el estreñimiento

Ante todo, es necesario evitar los purgantes. Hay que convencerse de
que éstos sólo son remedios ocasionales que dejan la situación de fondo
como estaba, y, a menudo, la complican. En realidad, existen algunas
enfermedades por el abuso de purgantes, que tienen como consecuencias precisamente el estreñimiento. La enteritis crónica con consti-
pación del colon es un ejemplo típico de ello. En este caso, el uso de
purgantes provoca, a la larga, la inflamación del delgado, con una
auténtica diarrea, pero limitada a esta porción del intestino. Aquí, el
contenido intestinal tiene un tránsito rápido, pero cuando llega al colon, se acumula en él. El resultado final es un estreñimiento complicado
con dolores, intolerancia alimenticia y disminución de la absorción de
alimentos, manifestaciones propias de la enteritis. En otros casos, es el
colon el que se irrita. En un estudio de hace algunos años, un investigador americano examinó a 177 individuos que habían tomado a diario
un purgante blando, la fenolftaleína, durante un período de 2 a 24 meses; de ellos, 152 tenían colitis. Por otra parte, esto no sorprende si se
piensa que el mecanismo de acción de gran parte de los purgantes más

en uso (cáscara sagrada, ruibarbo, jalapa, aceite de ricino, fenolftaleína) irritan la mucosa intestinal para estimular su contracción.

Aparte de esto, el abuso de purgantes o de laxantes provoca la pérdida de una importante sal de potasio, cuya grave deficiencia determina, junto con muchos otros trastornos, el bloqueo de la motilidad intestinal. En efecto, el uso de purgantes lleva, a la larga, a tal desequilibrio del funcionamiento intestinal, que hace imposible la defecación sin el empleo de éstos, si no se toman las medidas para reequilibrar el intestino.

La palabra «purgante» viene del latín *purgare* y significa «purificar». Una purificación intempestiva, desde luego. El medicamento salino o catártico o mecánico y oleoso o drástico, al llegar al aparato digestivo estimula poderosamente las glándulas, exagera las secreciones y el peristaltismo del intestino. De ello resulta un efecto de expulsión, una debacle, una verdadera crisis. Todo es expulsado: los desechos de la digestión, las excreciones glandulares, los productos de las fermentaciones, los colibacilos, las células epiteliales. Es una verdadera escoba, un cepillo de duras cerdas que limpia el intestino *no sin irritarlo*. Lo vacía extenuándolo. No se trata pues de un remedio inofensivo a aplicar sin discernimiento.

Puede ser saludable para luchar contra las diarreas, las disenterías, contra ciertas enfermedades del corazón, de los riñones, según el criterio del médico. Pero no hay que recurrir a él habitualmente contra el estreñimiento, pues violenta demasiado la naturaleza.

Entre los distintos purgantes, el citrato de magnesia, el sulfato de sosa o de magnesia, los fosfatos de potasa y de sosa, el bicarbonato de potasa son alcalinos. Provocan la hipersecreción de la mucosa.

Los granos de linaza, el agar-agar, los aceites vegetales, que son purgantes oleosos o mucilaginosos, serían los menos irritantes. El aceite de ricino, tan usado en otro tiempo, es irritante y puede contener trazas de la sustancia tóxica encerrada en el grano. La glicerina es igualmente irritante.

La bardana, la cáscara, el ruibarbo, el sen son catárticos. Su acción es intermedia entre los laxantes y los drásticos. Son más activos que los primeros, pero menos fuertes que los segundos.

El aloe, el calomelano, el aceite de crotón, la jalapa, el aguardiente alemán, el cólquico, el eléboro, etc., son drásticos. Son los purgantes más enérgicos, los que irritan más los intestinos y pueden entrañar una grave autointoxicación.

¡Mucho cuidado! No tomar jamás ningún purgante, salvo orden expresa del médico, sobre todo cuando el intestino está debilitado y en todas las enfermedades infecciosas, fiebre tifoidea y paratifus, estados coleriformes, etc. Es una imprudencia purgarse en caso de estreñimiento lesional, sobre todo si son de temer una oclusión o una obstrucción intestinal. No purgarse tampoco en casos de cólicos, de dolor en la fosa ilíaca derecha que pueden hacer sospechar la apendicitis.

La moda y el abuso de los laxantes

Hay muchas personas que temen el estreñimiento, porque conocen o ya han experimentado sus molestos y peligrosos efectos, pero carecen de la fuerza de voluntad necesaria para seguir la dieta adecuada para corregir y evitar este pernicioso trastorno. Sin embargo, están bien determinadas a vencer esa pereza intestinal, y para conseguirlo cometen entonces el error de recurrir inconsiderada y abusivamente a los laxantes, en forma de tisanas y de especialidades ensalzadas por una machacona e irresponsable publicidad.

Esto constituye un error y un peligro, porque un medicamento laxante se considera que ha de producir deposiciones normales o casi normales. Ciertamente, debe facilitar el relajamiento del intestino sin diarrea. Si el individuo es prudente, si se conforma a las dosis indicadas, trátese de tisana o de píldoras, es lo que puede ocurrir al principio. Pero, desgraciadamente, este relajamiento del intestino no significa en modo alguno que el trastorno sigmoidorrectal que inaugura generalmente el estreñimiento banal sea reducido. Bajo la acción del medicamento laxante, las glándulas digestivas segregan su jugo en abundancia, la mucosa intestinal se irrita, lo que produce un aumento de los movimientos peristálticos. De ello resulta una aceleración de la digestión o más exactamente de la progresión del quimo. Este trasporte rápido, esta impulsión hace que el quimo no tenga tiempo de desecarse en el colon ascendente y trasverso y que se ejerza una presión sobre la deposición anterior estacionada en el sigmoide o en el recto. El examen de la deposición deja ver una parte dura, especie de tapón, rodeado de materia semilíquida o líquida.

Como quiera que el obstáculo sigmoidorrectal subsiste, la determinación de las heces tendrá de nuevo lugar cuando la siguiente digestión, y el laxante volverá a ser necesario. El otro inconveniente es que habrá que ir aumentando poco a poco la dosis, a medida que se vaya creando el hábito. Pero el aumento de la dosis para vencer el hábito, o el tomar laxantes variados y cada vez más eficaces, tiene por consecuencia aumentar la irritación de la mucosa intestinal y dar lugar a una hipersecreción. Y es aquí que el remedio resulta peor que la enfermedad.

El abuso de laxantes es una verdadera agresión contra las túnicas del intestino y las glándulas digestivas, cuyas estructuras se ven entonces afectadas con todas las graves consecuencias que esto puede comportar.

Podemos afirmar, en resumen, que por regla general no hay que usar jamás laxantes si se padece de estreñimiento crónico, ya que los laxantes no curan el estreñimiento y, en cambio, entrañan un verdadero peligro para la salud en general. En cambio, los laxantes desprovistos de irritantes podrán ser utilizados en pequeñas dosis por las personas cuyas evacuaciones son ordinariamente normales y que podrían ser incomodadas por un estreñimiento accidental. Este tipo de incidente se produce en el curso de un viaje, de un cambio de clima, de aguas, de costumbres, de alimentación, o a causa de una inmovilidad forzosa en cama, debido a una enfermedad o a consecuencia de un accidente, por ejemplo. En este caso, el laxante puede despertar el intestino. Pero si el resultado esperado no se produce con suficiente rapidez, hay que guardarse bien de repetir frecuentemente el remedio y más aún de forzar la dosis.

Las lavativas

La lavativa o enema es la introducción en el intestino recto a través del orificio anal de una cierta cantidad de agua pura o que contenga medicamentos diversos en solución o suspensión.

Una leyenda amena recogida de *Práctica médica* de Bartolomeo de Salerno (siglo XII), refiere que Hipócrates, que fue el primero que practicó el enema, recogió la idea de una cigüeña que mientras paseaba por la ribera del mar «hauriens aquam maris rostro infudebat per anum cuius infusiones, intestinis remolitis, per anum exquilabat» (recogía el agua del mar con el pico y se la introducía por el ano, y en virtud de esta introducción, después de limpiar los intestinos, el animal poco después evacuaba abundantemente).

Según la finalidad que se intente, el enema puede ser evacuador, purgante, medicamentoso, nutritivo y térmico.

El *enema evacuador* o *de limpieza* es el que se practica para extraer las heces acumuladas en el intestino bajo a consecuencia del *estreñimiento;* se usa agua corriente hervida y después enfriada hasta que esté tibia (35-40°) o agua hervida tibia a la que se añade aceite de oliva o glicerina o una solución de jabón de Marsella o una cocción de hojas de malva; todas estas sustancias reblandecen y desmenuzan las masas fecales que deben expulsarse al cabo de varios minutos mezcladas con el líquido del enema.

El *enema purgante* tiene, comparado con el evacuador, un efecto sensiblemente más enérgico, porque en el agua hervida tibia usada para el enema se añaden verdaderos purgantes: generalmente 20-30 gramos de sulfato de sodio o de magnesio con un infuso de 10-15 gramos de hojas de sen en 300-500 gramos de agua. Más que para expulsar las heces duras y retenidas por el estreñimiento habitual, el enema purgante se administra para lograr un efecto llamado *«derivativo»,* es decir, que se pretende derivar o sustraer agua de los vasos sanguíneos de la pared intestinal mediante el intenso poder higroscópico del purgante salino. Se recurre a esta práctica derivativa –llamada sangría *blanca* porque reduce, como *hace* la sangría verdadera, la masa total de sangre, aunque sólo en su parte acuosa, respetando los corpúsculos rojos y blancos de la sangre– en los casos de presión sanguínea elevada *(hipertensión),* al objeto de que descienda al reducir el volumen de la sangre circulante; también en las intoxicaciones agudas de origen externo (envenenamientos diversos) o interno (por ejemplo, en la uremia) como medio desintoxicante, ya que mediante el líquido acuoso «derivado» de los vasos sanguíneos de las paredes intestinales se elimina también una fracción del tóxico que envenena la sangre.

El *enema medicamentoso* es el que sirve para introducir medicamentos en soluciones acuosas, que pueden absorberse a través de la mucosa del intestino recto. Se recurre a este enema medicamentoso –que debe ir precedido de un enema evacuador para limpiar de heces el contenido del recto y hacer más fácil la absorción del medicamento por la mucosa rectal– en todos aquellos casos en los que no es posible utilizar la vía oral para introducir el fármaco (imposibilidad de ingerir por cualquier motivo).

El *enema nutritivo,* que estuvo en boga hace unos cuantos decenios, ha caído en desuso, desvaneciéndose aquellos entusiasmos e ilusiones de los médicos antiguos que consideraban factible nutrir convenientemente a un enfermo por tiempo indefinido a través del orificio anal en casos de úlcera gástrica, gastritis, cáncer gástrico, etc., como si en el intestino recto fueran posibles todos aquellos procesos digestivos que se desarrollan en el estómago y en el duodeno y como si a través de la mucosa rectal se absorbiesen los principios nutritivos tal como ocurre en la mucosa del intestino delgado.

Se denomina *enema térmico* el que se practica para sustraer calor al organismo: *enema frío;* o para calentarlo: *enema caliente.* El *frío* se practica con agua hervida, que después se enfría a la temperatura que se desee; se utiliza contra los estados febriles de cualquier naturaleza; el *enema caliente* se practica con agua hervida y después enfriada hasta los 45-50°; sus indicaciones son la *prostatitis* y las inflamaciones de la esfera sexual interna de la mujer *(anexitis).*

No se debe practicar ninguna clase de enemas en los casos de inflamación aguda de la mucosa rectal *(proctitis),* en las hemorragias intestinales *(enterorragias)* de cualquier origen, en las apendicitis, en las peritonitis, etc.

Como regla general, las lavativas no se deben administrar más que bajo prescripción facultativa. De las lavativas es obligatorio decir, lo mismo que de los purgantes, que no suprimen el estreñimiento, aunque son menos perjudiciales que aquéllos. No obstante, hay que tener en cuenta que el intestino se acostumbra a ellas con lo que el estreñimiento se hace más crónico.

Sólo en muy contados casos podrá recurrirse al uso de las lavativas: en casos rebeldes, para solucionar momentáneamente el problema del estreñimiento, en tanto se esperan los resultados del plan de curación que ofrecemos más abajo, etc. «Nosotros prescribimos –dicen los doctores G. y R. Leven–, excepcionalmente, desde luego, lavativas de 300 gramos, sin presión, con una cánula muy corta, únicamente para ablandar las heces y facilitar su salida, cuando el período inicial de estreñimiento excede los cinco o seis días». Ésta es la regla de sentido común en la cual será prudente inspirarse en el empleo de los enemas en los casos de estreñimiento.

Tratamiento del estreñimiento

El primer requisito para curar toda enfermedad es *suprimir las causas,* luego hacer eliminar al organismo las toxinas y residuos patológicos, producidos por el mal y sus causas; después *tonificar* y *revitalizar* los órganos enfermos y el organismo en general.

Supresión de causas en general. Hagamos un resumen de estas causas, ya examinadas con detalle en el capítulo «¿Por qué aparece el estreñimiento?»

- Pérdida de la sensación de la necesidad de evacuar por no atenderla a su debido tiempo.
- Falta de residuo alimenticio por el defecto de alimentos vegetales que, como se sabe, abundan en *celulosa,* que es el estimulante normal del intestino, y el exceso de alimentos animales, que, además de carecer de dicha sustancia, producen en el intestino grueso sustancias paralizantes de sus movimientos. *(Véase* «Un elemento indispensable en la alimentación de todos los días: las escorias»).
- Falta del estímulo natural de los azúcares y ácidos de las frutas.

- El no tener una hora fija diariamente para la evacuación, lo que altera el ritmo normal del intestino, que, en puridad de función, debe evacuar su contenido, por lo menos, una vez al día.
- El comer deprisa, con el consiguiente aumento de putrefacciones cólicas por el excesivo grosor de los residuos e insuficiente elaboración.
- El uso de alimentos y bebidas calientes o demasiado fríos.
- La alimentación exclusivamente cocida, que hace digestible la celulosa y, por tanto, insuficiente su función residual estimulante.
- El comer solamente alimentos blandos y poco variados, o muy concentrados.
- El uso de leche, que alcaliniza las heces, paralizando el intestino; y del pan blanco, carente de residuo celulósico, así como el arroz blanco, pastelería, queso, mantequilla, etc.
- El uso de las carnes, aves y pescados en la alimentación, que, además de carecer de residuos estimulantes, alcaliniza la última porción intestinal, paralizándola (pues ya se sabe que los ácidos, al contrario, son los naturales estimulantes del colon).
- La irregularidad en las horas de comer.
- El uso de café, té, alcohol, tabaco y ciertas drogas, que todos paralizan el intestino.
- El dormir mal.
- La respiración incorrecta, que quita eficacia a la presión del diafragma sobre el intestino y a la presión de la pared del vientre.
- La defecación apresurada.
- La posición sentada, que impide la normal compresión de la masa intestinal por los muslos. La posición normal de evacuar es en cuclillas.
- El uso de purgantes, que paraliza el intestino por la reacción fisiológica a la acción excitante primordial, siguiendo la tan conocida ley.
- La falta de ejercicio físico, sobre todo la marcha, que realiza un eficaz y natural masaje del intestino.

- Las inflamaciones, estados catarrales y descensos del tubo digestivo. Existe también un estreñimiento compensador en individuos de absorción difícil, como defensa para garantizar la nutrición y el cual debe estimarse en este justo valor.

Hecha esta enumeración de las causas, podemos dar para la corrección del estreñimiento, los siguientes consejos:

- *Evacuar en cuanto se sienta la necesidad de ello.*
- *Alimentación abundante en vegetales y, especialmente frutas. La* comida abundante en frutas suele, sobre todo al principio, provocar diarreas o deposiciones sueltas a las personas carnívoras o que tienen el intestino muy intoxicado, como reacción de limpieza. Se suele culpar a las frutas de estos trastornos, siendo así que la verdadera causa está en los residuos tóxicos de alimentos antinaturales, que son arrastrados. Al que no come alimentos animales, nunca le producen trastornos las frutas.
- *Procurar la* evacuación *a horas fijas;* mejor por la mañana al levantarse de la cama.
- *Comer despacio.*
- *No tomar alimentos demasiado fríos ni demasiado calientes.*
- *Tomar un 50 % de alimento crudo* (ensaladas, frutas) *en cada comida.*
- *Suprimir* carnes, aves, pescados, leche, pan blanco, arroz blanco, queso, pasteles, mantequilla y, en general, todo alimento sin residuo o excesivamente albuminoso. Comer pocas leguminosas (habas, judías, lentejas, garbanzos, guisantes), y tomar pan integral y arroz sin descascarillar en lugar de estos dos alimentos en su forma blanca y corriente.
- *Comer siempre a las mismas horas.* La reglamentación y orden en la vida es de tal importancia para la salud que se puede decir que es la clave de la longevidad si va acompañada de sobriedad en todo.

- *Suprimir* alcohol, café, té, tabaco y drogas (especialmente purgantes).
- *Procurar un sueño tranquilo.* Una abundante *ensalada de lechuga en la* cena, además de combatir el estreñimiento, calma los nervios y proporciona un sueño apacible.
- *Respirar correctamente. (Véase* «Los métodos musculares»).
- *Usar vestidos y prendas que no opriman.*
- *Defecar tranquilamente y,* a ser posible, en cuclillas.
- *Hacer suficiente ejercicio:* trabajos de jardinería, reparaciones caseras, deportes o, por lo menos, largos paseos.
- *Corregir la ptosis* o descensos de los órganos digestivos, así como sus dificultades circulatorias, estados catarrales, etc., cosas que, en su mayor parte, se corrigen con los anteriores consejos.

Cuando el estreñimiento es por *retención,* lo fundamental es acostumbrarse a atender el aviso de la naturaleza y hacer la deposición a la misma hora siempre. Al intestino se le educa como se quiere, y, a este respecto, el doctor Alfonso recomienda un ejercicio mental de indudable eficacia, según él. Es el siguiente: «De pie o sentado y con los ojos cerrados, y a cualquier hora del día, se golpea suavemente y varias veces (5 o 6) todo el trayecto del intestino sobre la piel del vientre y al mismo tiempo se piensa que a una determinada hora del día (que debe ser la misma todos) se contraerá el intestino y evacuará su contenido. La verdadera actitud mental durante este ejercicio debe ser *de mandato* al intestino para que se mueva todos los días a la misma hora. (El cuerpo es esclavo de la mente y ésta debe mandar). Al llegar la hora en que se ha convenido hacer de vientre diariamente, se debe repetir el ejercicio, y después ir al retrete *aunque no se tengan deseos de evacuar,* pero sin hacer grandes esfuerzos físicos. Éste es el modo mental de contribuir a la educación y normalidad de una importantísima función como es la defecación».

Cuando el estreñimiento es por *acumulación* hay que tonificar los intestinos.

Cuando es *latente,* lo fundamental es impedir todo lo posible las putrefacciones intestinales por medio de una alimentación vegetariana antitóxica, a veces completamente cruda, y tonificar los órganos digestivos.

Eliminación de toxinas. Se consigue por medio de las aplicaciones de agua *(véase* «La hidroterapia»).

Tonificación y vitalización de los órganos digestivos. La tonificación de cualquier órgano se logra por el uso adaptado del *excitante natural* correspondiente, que produce estímulos circulatorios, nerviosos y químicos (nutricios). Y sabido es que todo órgano bien inervado, por donde circula bien la sangre *y* donde se realiza una perfecta nutrición celular, es órgano sano, pues no otras son las condiciones íntimas de la salud.

Producen estímulos normales circulatorios y motores de los órganos digestivos, los baños de asiento fríos *(véase* «La hidroterapia»), los paseos descalzo por suelos mojados, el beber agua fría, el ejercicio físico *(véase* «Los métodos musculares»), el uso de alimentos vegetales.

Producen estímulos nerviosos las anteriores aplicaciones hidroterápicas y las compresas frías al vientre.

Producen estímulos químicos normales y, por tanto, vitalizantes, los alimentos crudos.

El *paseo descalzo* consiste en andar con los pies desnudos por un suelo mojado frío, de baldosa o piedra o mejor tierra o hierba, durante 15 o 30 minutos.

Es útil en general para los estreñidos, *beber en ayunas un vaso de agua fría,* dando algunos saltos o una carrera suave con el agua en el estómago.

En cuanto al *ejercicio físico,* el andar simplemente constituye ya un eficaz masaje intestinal, del que no se debe prescindir ni aun no padeciendo estreñimiento, para evitarlo.

Son utilísimos colaboradores de la curación del estreñimiento los ejercicios de gimnasia recomendados para tal fin por el profesor Costa en su libro: *Gimnasia higiénica.*

Las sales de magnesio

No somos partidarios de las sales laxantes y especialmente exoneradoras que son, como todo el mundo sabe, muy numerosas en la farmacopea. Sin embargo queremos llamar la atención del lector acerca de las sales de magnesio, particularmente el cloruro de magnesio, un medicamento muy simple destinado a fortificar la célula nerviosa.

Los que abogan por las sales de magnesio parten del principio de que nuestro organismo posee una organización defensiva natural, bien suficiente para resistir en la mayoría de los casos y sin ninguna otra ayuda exterior a toda deficiencia orgánica y a las agresiones microbianas. Los ataques de los microbios y virus por lo demás sin efecto sobre un organismo en equilibrio.

El problema capital consiste menos en inmunizar al hombre mediante vacunas, sueros, etc., que en estimular y reforzar su organización defensiva natural. Esta verdad, puesta en evidencia por Martin du Theil hacia 1920, siguiendo el camino trazado por Claude Bernard, sigue teniendo hoy día cada vez más adeptos. Nuestras armas defensivas están bajo la dependencia directa del sistema nervioso, de ahí la necesidad de disponer de un alimento especifico de la célula nerviosa, a fin de prevenir las deficiencias. El sistema nervioso es, por decirlo así, la viga maestra del conjunto orgánico.

Está demostrado que su deficiencia resulta de su empobrecimiento en cloruro de magnesio. Es preciso, evidentemente, restablecer el equilibrio mineral restituyendo a la célula nerviosa ese cloruro de magnesio que le falta.

Por prolongado que sea su uso, el cloruro de magnesio no ejerce jamás acción nociva sobre ningún órgano, y particularmente sobre el riñón. Puede ser prescrito sin el menor inconveniente, cualquiera que sea la edad –niños pequeños, adultos o ancianos– y cualquiera que sea la enfermedad, incluso –quede bien claro– en el caso de nefritis con albuminuria. Constituye un verdadero alimento de ahorro para la célula nerviosa, de la cual compensa inmediatamente los desgastes. El gran simpático, gracias a su energía conservada así intacta, mantiene el organismo al abrigo de la enfermedad, haciendo vano todo ataque microbiano. *El cloruro de magnesio es,* pues, *el mejor agente profiláctico contra todas las enfermedades de naturaleza infecciosa,* y es por esto por lo que se aconseja hacer de él uso si no cotidiano, al menos bastante frecuente.

Pero parece que nos hemos alejado del estreñimiento. En apariencia sí. En realidad no, pues *el cloruro de magnesio, alimento* de la célula nerviosa, *tiene una incontestable propiedad laxante.* Es un laxante suave. No actúa solicitando exageradamente los jugos digestivos, sino que despierta el peristaltismo.

Este medicamento no provoca irritación y, dada la protección que asegura al sistema nervioso, podemos darle nuestra preferencia. Se administra a razón de una cucharadita de las de café de cloruro de magnesio diluida en medio vasito de agua, un cuarto de hora antes del desayuno o por la noche al acostarse, una hora al menos después de la cena. Esta dosis media de prueba será disminuida según el primer resultado obtenido.

EL RÉGIMEN ALIMENTICIO

La causa principal del estreñimiento crónico habitual debe buscarse en la manera antinatural de alimentarse. Por lo tanto, el remedio lo hallaremos, en primer lugar, en una alimentación adecuada.

La dieta es lo más importante para curar el estreñimiento crónico. *La mejor dieta es la más rica en vegetales.* Y esto lo afirma un famoso clínico alemán de la medicina oficial. A nadie extrañaría que lo dijéramos los defensores de la medicina natural. El citado doctor alópata, afirma: «…es conveniente, pues, abundar en los espárragos, alcachofas, judías, habas, hinojos, ensalada verde, guisantes, rábanos y espinacas; es mejor la verdura cruda, buena parte de la cual llega al intestino grueso sin digerir».

Haciendo caso omiso de algunas afirmaciones muy discutibles y hasta inadmisibles desde el punto de vista rigurosamente eutrofológico, y sólo al objeto de evidenciar que *la medicina alópata echa mano, cuando no tiene otra solución, del régimen vegetariano,* acabaremos de reproducir los consejos dietéticos del referido clínico alópata alemán, en los que se observa lo que constantemente podemos constatar al consultar a un médico alópata en cuestiones de régimen alimenticio: la escasa precisión y la prácticamente nula formulación de una dieta exacta y apropiada. «Entre las frutas: mandarinas, higos, naranjas, dátiles, sandía, melón, manzanas, frutas secas y ciruelas. Estas últimas son especialmente eficaces, por su alto contenido en ácidos orgánicos. Deben evitarse las uvas (?) que, por su contenido en ácido tánico, hacen más lento el peristaltismo. Son muy útiles las sustancias azucaradas, porque retienen agua en el intestino y, por lo tanto, son óptimas la miel, las mermeladas, la gelatina de frutas y la fruta cocida, bien azucarada. El pan debe ser integral. Los alimentos salados y las sustancias ácidas en general (vinos ácidos, vinagre, suero de leche, etc.), tienen un efecto excitante de la motilidad intestinal. También las sustancias frías; el empleo del vaso de agua fría por la mañana en ayunas, como regulador de la función intestinal es antiquísimo. El café excita el peristaltismo intestinal, mientras que el té, por su contenido en tanino, tiende a hacerlo lento. Por el mismo motivo, hay que evitar el vino tinto, mientras que el vino blanco, el vino de grosellas y, sobre todo, el mosto, son ligeramente purgantes.

»A todo esto –prosigue el referido autor– podrán añadírsele sustancias como el agar-agar o la carboximetilcelulosa, que no se digieren en absoluto; además, empapan mucha agua (reteniéndola así en el intestino), aumentan de volumen y pueden, de este modo, estimular la musculatura de la pared intestinal para que se contraiga.

»En caso de estreñimiento *hipertónico,* la dieta será mixta; se utilizará vaselina o aceite de oliva, una cucharada por la mañana en ayunas; el aceite, además de una acción lubrificante, tiene acción purgante, porque libera ácidos grasos en el intestino grueso, que estimulan el peristaltismo.

»En caso de *disquecia,* la dieta será mixta, pero predominantemente cruda; también aquí es conveniente emplear el aceite; el uso de supositorios de glicerina da buenos resultados (su principal acción es un estímulo mecánico ejercido sobre el recto que, por ello, es inducido a contraerse), así como pequeños enemas emolientes o estimulantes. A esto hay que añadir, y vale para todos los tipos de estreñimiento, la utilidad del deporte (remo) y de la gimnasia para robustecer la musculatura abdominal que interviene en el acto de la defecación (salto de cuerda, mover rítmicamente las piernas arriba y abajo, estando echados). También las duchas frías tienen una acción estimulante sobre el intestino perezoso, pero están contraindicadas en caso de estreñimiento hipertónico».

Después de todo lo dicho se comprende fácilmente cómo el alimento de las personas estreñidas ha de ser estimulante *(laxante)* y no *tóxico.* Condiciones que sólo cumplen los alimentos vegetales, por ser ricos en las sustancias excitante naturales del aparato digestivo: la *celulosa y* los ácidos y azúcares de las frutas, por ser los que más difícil y tardíamente entran en putrefacción, aparte de no dar lugar a productos tóxicos dimanantes de su constitución química.

Los alimentos muy albuminosos, y principalmente los de origen animal (carnes de todas clases, huevos, leche, queso…) son los más propicios a la putrefacción intestinal y producen tóxicos alcalinos paralizantes del intestino grueso.

Son, pues, los alimentos mejores para la persona estreñida, las frutas, verduras, hortalizas y cereales integrales, en el orden citado.

En los casos graves de estreñimiento, es necesario a menudo, no sólo suprimir todo alimento y derivados, leguminosas, etc., sino aun los vegetales cocinados, dejando el enfermo a dieta de alimentos vegetales crudos (ensaladas, frutas), que no sólo son atóxicos, sino antitóxicos.

Con el fin de aumentar el volumen del residuo digestivo, cuando esto sea necesario, podemos recurrir a estos dos alimentos: el salvado y las ciruelas. El *salvado* es el elemento que más cantidad de celulosa tiene (además de sales y proteínas), y puede darse mezclado con caldos de verduras y legumbres, sopas, malta, etc. Es de gran poder estimulante del intestino y su uso no es desagradable. Las *ciruelas* son también admirables estimulantes del intestino y deben emplearse en cantidad de quince a veinte ciruelas –frescas o secas– desazucaradas, antes de cada comida. Para desazucarar las ciruelas se las hace una incisión y se ponen en agua fría veinticuatro horas. Luego se cuecen en una cacerola con mucha agua, durante tres horas, cambiando el agua cada veinte o treinta minutos. Cuando las ciruelas estén insípidas y no den color al agua, puede darse por terminada la operación. Se toman algo templadas o frías. Antes de adoptar esta práctica conviene probar a tomar en el desayuno siete ciruelas cocidas durante media hora, previa incisión, que muchas veces dan el resultado apetecido.

La leche agria y sus derivados (kéfir y yogur) son útiles para disminuir las putrefacciones intestinales durante la cura del estreñimiento.

Alimentos que deben evitarse

- *Las carnes y sustancias animales* en *general:* buey, ternera, cerdo, cordero, aves, mariscos, pescados, bacalao, caldo animal. Son todas perjudiciales ya que favorecen generalmente el estreñimiento y además producen en un intestino estreñido procesos peligrosos de putrefacción.
- *Pastas, arroz blanco, harinas finas, pan blanco, pastelería, galletas corrientes.* Todos estos alimentos estriñen debido a la falta de residuos; además son pobres en minerales y vitaminas.
- *Dulces, cacao, chocolate, té, repostería usual, azúcar refinado, confitería.* Deben evitarse todos, ya que favorecen el estreñimiento. Además, son en general perjudiciales para todos los enfermos del aparato digestivo.
- *Quesos fuertes.* Favorecen el estreñimiento y las putrefacciones intestinales.

Alimentos tolerables en pequeña cantidad

Si el estreñimiento es banal, es decir, no crónico y pertinaz, puede tolerarse (lo que no quiere decir recomendar) el uso de:

- *Carnes blancas, pollo, gallina, pescado blanco.* En pequeña cantidad y preferiblemente a la parrilla o hervidos (no fritos ni guisados).
- *Huevos.* Aun cuando alimentan mucho, no dejan residuos y por este motivo favorecen el estreñimiento; además producen fácilmente putrefacciones. Puede tolerarse como máximo dos o tres huevos a la semana, siempre que no se trate de casos graves de estreñimiento.
- *Leche, quesos frescos, requesón.* Según los casos, pueden producir estreñimiento. No conviene usarlos en demasía.
- *Legumbres secas* (guisantes, lentejas, judías, habas, garbanzos). Están permitidas; son muy nutritivas, pero no deben usarse cuando hay inflamación de los intestinos.

- *Mantequilla*. Se permite, pero es mejor aceite.
- *Pastelería a base de fruta y harina, nata, arroz integral, miel, azúcar*. Sólo en pequeña cantidad y en los casos de estreñimiento banal, no crónico.

Alimentos recomendables

Sin perjuicio de volver más extensamente sobre este importante punto, que el estreñido debe tener muy en cuenta para establecerse una dieta adecuada *(véase* «Alimentos especialmente recomendados contra el estreñimiento»), vamos a pasar rápidamente revista los alimentos más beneficiosos para normalizar la digestión y la función intestinal y que, por lo tanto, deben figurar preferentemente en sus comidas.

- *Cereales y derivados: pan integral, purés de harinas integrales, copos de avena, centeno integral, salvado.* Alimentos todos sumamente recomendables, porque obligan al intestino a un trabajo activo. Además alimentan mucho.
- *Ensaladas: lechuga, apio, pepino, rábanos, cebolla, ajo, escarola, achicoria, berros, tomates, pimientos, zanahorias, remolacha, aceitunas negras, endivias, etc.* Las ensaladas, sobre todo comidas con pan integral y con patatas, estimulan el intestino y aumentan la riqueza de la sangre en sales minerales, que disminuyen la acidez de ésta y neutralizan el ácido úrico. (Doctor Vander). También son ricas en vitaminas.
- *Hortalizas y verduras: alcachofas, zanahorias, calabazas, remolachas, nabos, acelgas espinacas, judías tiernas, guisantes tiernos, habas tiernas, coliflor, berenjenas, espárragos, bróculi, cardos, patatas y boniatos.* Todas ellas son excelentes para combatir el estreñimiento por la cantidad de residuos o escorias que dejan *(véase* «Un elemento indispensable en la alimentación de todos los días: las escorias») y porque obligan al intestino a activar su función. Son muy ricas en sales minerales y en vitaminas, y no producen putrefacciones intestinales. Los que padecen gases

(flatulencia) deben evitar *las coles,* a causa de las fermentaciones a que pueden dar lugar en el intestino enfermo.

- *Frutas frescas: manzanas, ciruelas, melocotones, albaricoques, peras, nísperos, sandías, melones, higos frescos, granadas, fresas, cerezas, uvas, piñas, naranjas, mandarinas, pomelos, guayabas, mangos, papayas, plátanos,* etc. Todas las frutas frescas son magníficas para combatir el estreñimiento. Además de activar el trabajo del intestino, muchas tienen una influencia muy favorable sobre el sistema nervioso. No todas las frutas son igualmente laxantes. Las manzanas, las ciruelas, las uvas, los higos, son mucho más laxantes que las peras y los plátanos. Las frutas son ricas en minerales y en vitaminas, así como en azúcares de fácil asimilación y agua fisiológica purísima.

- *Frutas secas: dátiles, uvas pasas, higos secos, ciruelas secas, orejones.* Todas ellas muy útiles para combatir el estreñimiento; las ciruelas secas constituyen, como hemos visto más arriba, un remedio específico para los estreñidos.

- *Frutas oleaginosas: almendras, nueces, avellanas, piñones, cacahuetes, pepitas de girasol.* Constituyen un gran alimento muy rico en proteína vegetal y en vitaminas. La abundante grasa que contienen favorece el trabajo del intestino. Pero por tratarse de un alimento muy concentrado y nutritivo sólo se deben tomar en cantidad limitada y según la capacidad digestiva de cada uno. Hay que masticarlas con gran cuidado y comerlas despacio.

- *Leche vegetal: horchata de almendras, de chufa, de avellanas.* Es recomendable.

- *Yogur y kéfir.* Excelentes porque además de actuar como laxantes suaves, evitan las putrefacciones intestinales, como ya se ha dicho más arriba.

Dietas contra el estreñimiento

En el capítulo «Un elemento indispensable en la alimentación de todos los días: las escorias», ofrecemos el «régimen de la hora» que recomendamos a nuestros lectores, pues su eficacia ha sido bien probada.

Sin embargo, damos a continuación otros ejemplos de comidas estudiadas para las diferentes clases de estreñimiento:

Estreñimiento alimenticio (por defecto de estímulo mecánico o químico)
Desayuno: Fruta o zumo de frutas. O bien ciruelas pasas cocidas. Al cabo de 20 minutos, malta con nata, pan integral, miel, mermelada o papilla de centeno prensado (a la que se puede añadir nueces, azúcar y leche fría). 2.º desayuno: Kéfir o leche fermentada.
Comida: Sopa de frutas, hortalizas, leguminosas con sus vainas o tortilla de centeno (que se hace con 100 gramos de centeno prensado, un cuarto de litro de leche, dos huevos, 35 gramos de harina de trigo integral, 15 gramos de azúcar, una cucharadita de polvos de levadura, corteza de limón, algo de canela y sal [poca]; amasándola y friéndola en la sartén con aceite de oliva, rellenando con cualquier clase de mermelada).
Merienda: Como el desayuno, o bien fruta cruda de una sola clase.
Cena: Ensalada o verdura cocida, legumbres, pan integral y mantequilla; o yogur con pan integral bien desmenuzado y azúcar; o puré de centeno prensado en caldo de legumbres. Fruta cruda.

Otro ejemplo:

Desayuno: Yogur, pan integral, malta.
    O bien: Pan integral con mantequilla, tomates y rábanos.
Comida: Ensalada con aceitunas desaladas; sopa de verduras o de pan integral con una yema de huevo; un plato de lentejas; ensalada de fruta, como postre.
    O bien: Patatas con verdura del tiempo, croquetas vegetarianas (de cereales), un plato de patatas con setas; almendras, nueces, o una manzana.
Merienda: Pan integral tostado o galletas integrales y malta.
    O bien: Fruta seca o un plátano.
Cena: Sopa de harina de trigo integral o de copos de avena, a ser posible hecha con caldo de verduras; mucha fruta fresca; un poco de pan integral o galletas integrales con mermelada o compota.

O bien: Ensalada variada; patatas cocidas o fritas; verduras; un huevo; de postre, un yogur.

Estreñimiento atónico. Hacer la misma alimentación que en el anterior, masaje abdominal y gimnasia adecuada. Por la noche tomar una cucharada de lino (linaza).

Cura de col ácida: se practica tomando 3 veces al día, antes de cada una de las comidas, un plato pequeño de col cruda.

Estreñimiento espástico (por excitación y contracción de las túnicas musculares). Alimentación pobre en celulosa. Aplicaciones calientes al abdomen, diatermia o corrientes de alta frecuencia.

Durante una semana, mucílago, huevo, leche, tortillas, zumos de frutas. Después patatas y purés de legumbres, en la forma siguiente:

En ayunas: Una cucharada de aceite de oliva.
Desayuno: Leche con malta y nata; pan blanco, mantequilla o miel; jalea o mermelada poco dulces. 2.º desayuno: Zumo de fruta o yogur.
Comida: Avena en copos o cebada perlada; sopas de frutas; puré de patatas, legumbres, compota de manzana o pera; fruta cruda mondada y sin pepitas; pudin de frutas.
Merienda: Yogur.
Cena: Pan blanco con mantequilla; huevo pasado por agua o revuelto con mantequilla; o bien tortilla con compota; quesos cremosos; un vaso de leche o de zumo de fruta.

Antes de acostarse, una o dos cucharadas de aceite de oliva; o una taza de leche caliente o una cucharada de linaza con agua.

Estreñimiento crónico
En ayunas: Un vaso de agua con limón y un poco de miel; o un vaso de zumo de naranja o de otra fruta.
Desayuno: Fruta variada, según la temporada; pan integral y malta.

O bien: un plato de sopa de trigo integral y fruta variada a discreción.

Comida: Una sopa espesa de varias verduras con un frito de cebolla; gran plato de puré de patatas, patatas estofadas con verduras a gusto o ensalada y patatas; como postre, ciruelas o higos secos, remojados o cocidos, mezclados con almendras picadas.

O bien: Ensalada variada con pan integral; verduras (de preferencia acelgas, espinacas, zanahorias, tomates cocidos, berenjenas); un plato pequeño de garbanzos o lentejas; como postre, galletas de trigo integral o almendras.

Merienda: Una manzana o pan integral con un poco de mantequilla.

Cena: Copos de avena con fruta cocida o cruda (uvas crudas); pan integral y ensalada; plátano o manzana.

O bien: Verduras variadas; almendras o avellanas; pan integral.

Estreñimiento rebelde y pertinaz

En *ayunas:* Seis castañas crudas bien masticadas (sólo si se toleran).

O bien: Un vaso de agua con miel o con limón.

O bien: Un vaso de agua con linaza remojada.

O bien: Diez o doce ciruelas secas, que hayan estado en remojo durante la noche, y un vaso de agua.

Desayuno: Un plato de cereales crudos, rociado con zumo de fruta.

O bien: un plato de verduras cocidas; pan integral.

O bien: Frutas a gusto, sobre todo manzanas o uvas, cerezas o ciruelas; pan integral con mantequilla y malta.

O bien: Un plato de trigo integral cocido, con verduras y tomates, o bien con higos u otra fruta. Un cuarto de hora antes de comer, bébase un vaso de agua con limón.

Comida: Ensalada variada; puré de patatas y ensalada de verduras crudas: una manzana y un poco de fruta seca u oleaginosa.

O bien: Sopa de verduras o ensaladas; patatas o croquetas de patatas y verduras; como postre, puré de ciruelas secas y cocidas con almendras o avellanas peladas y picadas.

O bien: Ensalada variada; croquetas de harina de trigo integral o de legumbres secas y verduras; de postre, ciruelas cocidas, almendras y yogur.

O bien: Sopa espesa de verduras, poco líquida, de forma que resulte casi puré y cocida con unas cucharadas grandes de salvado de trigo; ensalada con pan integral; un plato de verduras o de legumbres secas; de postre, un plato de cereales crudos, rociados con zumo de fruta y nueces o almendras picadas.

Merienda: Fruta, galletas integrales o yogur.

Cena: Un plato de cereales crudos con zumo de fruta seca; yogur.

O bien: Ensalada con pan integral; sopa de verduras; unas pocas lentejas o champiñones o setas; de postre, almendras con pasas, higos secos o una manzana.

O bien: Ensalada y patatas; patatas con cebollas y tomates hervidos o combinados con otra verdura; de postre, plátanos o manzanas.

O bien: Un plato de trigo o avena cocida, aderezado a gusto; pan integral con mantequilla; fruta seca y malta.

Al acostarse: Un vaso de zumo de naranja, de uva o de ambos; o un vaso de zumo de limón; o un vaso de zumo de lechuga y de zanahoria, mezclados; o un vaso de caldo de lechuga.

UN ELEMENTO INDISPENSABLE EN LA ALIMENTACIÓN DE TODOS LOS DÍAS: LAS ESCORIAS

El hombre, por las dimensiones de su tubo digestivo,
debe adoptar un régimen alimenticio capaz de estimular el tono
y las contracciones de la musculatura intestinal.

Es tal la importancia de las escorias que se ha obtenido un éxito en verdad sorprendente haciendo de ellas el fundamento de planes dietéticos.

La cocina y el arte culinario se han preocupado –quizá como una de las razones de su existencia– de facilitar la digestibilidad de los alimentos; pero es evidente a todas luces que las cosas han ido muchas veces más allá de lo verdaderamente razonable y conveniente, y la «predigestión» culinaria ha importado una verdadera agresión contra ciertas sustancias que podemos clasificar entre las necesarias para el juego normal de la vida. Entre éstas ocupan un lugar de primera fila las llamadas escorias o lastre de la alimentación.

Bien es verdad, sin embargo, que tales productos no figuran, por lo general, entre aquellos que son conocidos por el público como necesarios e imprescindibles, tales como las proteínas, las grasas, los hidratos de carbono, las sales minerales y oligoelementos, las vitaminas y fermentos, y el agua. A esta lista debemos agregar en forma muy destacada las escorias, pues ya veremos el papel importantísimo que desempeñan en el balance digestivo y nutritivo general.

Sin duda que la «agresión» extraordinaria que ha realizado la cocina contra las escorias ha hecho que cada vez más pasen éstas inadvertidas y que, a la larga, nadie se detenga a considerarlas, pese a su gran valor. Sin embargo, no han faltado, en el terreno científico, voces entusiastas y trabajos meditados que han puesto las cosas en su lugar. Y lo que es más, sorprenderá conocer el éxito tenido por quienes han hecho de las escorias todo el fundamento de un plan dietético. Utilizado éste en diversas dolencias, rindió resultados alentadores. Nuestra experiencia nos ha demostrado, por otra parte, su innegable eficacia, y es por eso por lo que queremos reivindicar las escorias en el importante papel que deben desempeñar en el régimen diario del hombre sano.

¿Qué son las escorias?

Se ha dado en llamar «escorias» o «lastre alimenticio» a ciertas sustancias que no son digeribles o modificables por los jugos intestinales o los gérmenes que allí pululan, o lo son en muy pequeña escala, y que, por tanto, recorren el tubo digestivo sin sufrir mayores alteraciones, constituyendo una buena parte de las heces. Son como la armazón de las deposiciones, resultando, en última instancia, verdaderas escobas del intestino.

Las escorias están representadas principalmente por la celulosa, hidrato de carbono característico del reino vegetal, donde constituye uno de los componentes más abundantes. Sin embargo, no sólo en los vegetales se encuentra la celulosa, pues en ciertas especies animales inferiores (ascidias) es dable observar que el revestimiento exterior está constituido de una materia similar. Forma la envoltura de casi todas las células de los vegetales de clorofila; es decir, de los vegetales superiores, y de la mayor parte de las algas; pero no se presenta en forma absolutamente pura sino asociada a otras sustancias, algunas de ellas del tipo de las proteínas.

Es muy difícil encontrar la celulosa en estado puro en los vegetales superiores, salvo en la planta del algodón, la cual es quizá la expresión más objetiva de esta sustancia. La corteza de los cereales, el salvado, el hollejo de las frutas, la trama de las partes comestibles o no de las verduras, la misma madera, etc., están constituidas por celulosa. Pero aunque nosotros en lo sucesivo asociemos la idea de escoria con la de celulosa vegetal, debemos dejar aclarado que también deben agruparse en ella ciertos tejidos conjuntivos no digeribles de las carnes, la cubierta quitinosa de ciertos mariscos y asimismo trozos de sustancia ósea de ciertas especies animales que son utilizados en la alimentación humana.

Animales herbívoros

Entre las muchas diferencias que distinguen los alimentos de origen animal de los vegetales, hay una que es quizá típica. Mientras aquéllos son fácilmente accesibles a la acción de los jugos digestivos, en los vegetales las materias nutritivas se encuentran encerradas en las envolturas celulósicas, siendo preciso actuar primeramente sobre ellas ya sea por medio de una masticación laboriosa o haciendo intervenir previamente los procedimientos culinarios que, como la cocción, hacen reventar esas envolturas y ponen al descubierto su contenido nutritivo.

Es claro que los animales cuya alimentación es principalmente vegetal presentan un tubo digestivo adaptado a las exigencias de ésta. Así, en los herbívoros el intestino es enormemente más largo que en los carnívoros. Sin embargo, y pese a que una gran porción de celulosa es digerida por ellos, queda aún una gran parte sin sufrir mayores modificaciones, como muy bien puede observarse en el análisis de sus deposiciones. Una idea más completa han de darla las experiencias de Voit. Este investigador calcula que, por 100 kilogramos, el perro alimentado de carne elimina 30 gramos de materias fecales (pesadas en estado seco), mientras que, por 100 kilogramos, el buey, alimentado de heno, produce 600 gramos; esto es, 20 veces más.

No puede negarse la necesidad de estos productos refractarios a la digestión en estos animales con intestino largo, que necesitan, además, por fuerza, un estímulo poderoso para que la evacuación se realice normalmente. Es curioso observar como conejillos de la India alimentados con una mezcla de leche, azúcar y polvo de carne mueren en poco tiempo, a causa de un estreñimiento pertinaz. La autopsia revela en sus intestinos una masa adherente de la consistencia de la masilla de los vidrieros. En cambio, con sólo agregarles una sustancia refractaria que haga las veces de la escoria de su alimentación animal, como trozos de cuerno, el animal sobrevive perfectamente.

El hombre se sitúa, por las dimensiones de su tubo digestivo, entre los carnívoros y los herbívoros, lo que hace pensar en la necesidad de un régimen que provea en forma amplia la formación de heces de volumen suficiente como para estimular el tono y las contracciones de la musculatura intestinal.

Ahorro funcional

Hubo un tiempo, en medicina, en que primaba el concepto del ahorro funcional. Se trataba entonces de aliviar al organismo todo gasto de energías, y con esa intención se llegaba hasta a crear en su derredor una atmósfera relativamente artificial. Esto mismo podemos verlo en la cocina y la culinaria de toda una época, en que arrecian los purés, el pan blanco se impone en la mesa de los anfitriones, y casi todos los regímenes, ya sean curativos o higiénicos, son del tipo blando. Vemos así instaurar menús a base de papillas, sopas, purés, etc.

Pero no se hizo esperar una saludable reacción. Al concepto de ahorro funcional que imperaba en la medicina se opone ahora la idea del endurecimiento del organismo y de la ejercitación. En este sentido, las ideas de Bircher-Benner hacen escuela, y en dietética se abren caminos los regímenes a base de vegetales crudos. En la práctica nos parece que pueden confundirse ambas ideas, pues su similitud es muy grande: regímenes escoriáceos y crudivorismo vegetal.

Es antifisiológico querer evitar al organismo un trabajo que debe realizar por su cuenta. Los hechos han puesto en evidencia esta cuestión en lo que se refiere a alimentos. Cualquiera que observe la dieta diaria de muchísimas personas podrá notar la escasez extraordinaria en ella de lo que llamamos escorias, como una consecuencia de la «cocina», que vapulea sin ton ni son toda clase de sustancias que caen en sus manos. Y así no nos sorprenderá tampoco el saber la enorme cantidad de personas que sufren de *estreñimiento, mal que constituye un aminoramiento de las resistencias individuales y la puerta de entrada y causa de un sinnúmero de dolencias.* Ya tendremos ocasión de ocupamos de ello con más detalle.

La función de excreción

El intestino ejerce una función compleja. En lo íntimo de sus paredes se realiza una tarea de selección y eliminación de diversas sustancias, las cuales entrarán a formar parte de las heces. Los estudios realizados en personas sometidas a un régimen escoriáceo han revelado las modificaciones importantes que sufren las deposiciones en mérito a tal régimen. Haciendo un resumen breve de éstas, encontramos aumento de la eliminación de urobilina, de sales, especialmente de calcio, de potasio, cloro y sodio. Sabemos la importancia considerable de las propias secreciones intestinales en la formación de las heces, como quedó demostrado en personas que practicaban ayuno, y en las cuales, sin embargo, existían deposiciones fecales.

Tres distintas fuentes intervienen en la formación de las heces: 1.º Productos que provienen de las secreciones digestivas; 2.º sustancias de origen alimenticio, las escorias; 3.º microorganismos.

Las heces producidas durante el ayuno es evidente que provienen de las propias secreciones intestinales espesadas por reabsorción, más las propias células de descamación de las paredes intestinales modificadas en parte por la actividad de la numerosa flora microbiana que pulula en esas regiones.

En cuanto a las sustancias de origen alimenticio, ya hemos visto el papel considerable de la celulosa. En la alimentación vegetal, durante la digestión de ésta, una parte de los materiales queda retenida entre las mallas de celulosa sin ser atacada, y llega así al intestino, donde es probable que estimule con más intensidad las secreciones intestinales, con lo que resulta un aumento de las materias fecales. Existen así alimentos que favorecen la formación de heces, mientras que hay otros que apenas si dejan residuo, lo cual no quiere decir tampoco que los unos sean mejores que los otros, aunque pudiera parecerlo desde el punto de vista de su aprovechamiento.

Para darse una idea de la importancia de la celulosa en la formación de las heces, vamos a trascribir la siguiente tabla de Rubner, por la que vemos la cantidad de heces secas que produce cada uno de los alimentos enumerados consumidos en cantidad suficiente como para cubrir las necesidades orgánicas:

Alimentos	*Cantidad de heces secas*
Carne	26 gramos
Huevos	26 »
Pan blanco	36 »
Pasta de sopa	37 »
Leche	42 »
Arroz	50 »
Maíz	51 »
Zanahoria	101 »
Repollo	113 »
Patatas	133 »
Pan integral	146 »

Este cuadro nos demuestra que una alimentación a base de carnes, huevos, pan blanco, pastas alimenticias y leche deja un residuo inferior incapaz de constituir un estímulo ponderable para las contracciones intestinales.

Otros excitantes del peristaltismo

La evacuación de las materias fecales del intestino está asegurada por las contracciones de la musculatura de este órgano, que producen un movimiento de traslación en el contenido intestinal y que lentamente lo hacen recorrer hacia su destino en el exterior. Estas contracciones y movimientos se llaman *peristaltismo,* y son semejantes a los que se realizan en el estómago para mejor combinar los alimentos con los jugos y provocar su expulsión hacia el duodeno. Pues bien, existen otras sustancias, además de la celulosa, que estimulan el peristaltismo. Ellas son los ácidos frutales, ácidos grasos, diversos azúcares y sus derivados, producidos durante su digestión intestinal, las vitaminas A, B y C, levaduras y demás bacterias, además de otras sustancias todavía desconocidas a las que se ha llamado «eutoninas».

Los resultados realmente extraordinarios de un régimen de tipo escoriáceo, no sólo en enfermos, sino principalmente en aquellas personas que, aparentemente sanas, presentan deposiciones tardías, hablando con más propiedad, que sufren de estreñimiento, aun cuando ellas no quieran declararlo, nos han movido a escribir este capítulo. Quizá sea éste uno de los aspectos más importantes sobre las modificaciones que deben hacerse en la cocina actual para mejorar las condiciones alimenticias del hombre y de la familia.

Régimen rico en escorias

Ofrecemos a continuación lo que se ha dado en llamar «régimen de la hora» y, a continuación, a título de ejemplo, algunas recetas ricas en escorias, y aplicables en primer grado a los que sufren de estreñimiento. Esto no quiere decir que los sanos no puedan seguir con provecho estas indicaciones. Muy por el contrario, ellas han de serles de verdadera utilidad, y la propia práctica les demostrará sus bondades.

Régimen de la hora. Está indicado muy particularmente para los estreñidos y como primer paso para la instalación de un régimen escoriáceo.

En ayunas: 10 ciruelas que se habrán puesto en remojo desde la noche anterior.
8 horas: Pan integral, mantequilla y miel. El pan integral ha de masticarse muy bien y, de ser posible, ha de preferirse el pan envejecido (del día anterior), que por ser más duro obliga a una mejor masticación.
9 horas: Una manzana, bien lavada, comerla con la piel.
10 horas: Pan integral, mantequilla y miel.
11 horas: Queso fresco, frutas ácidas: naranjas, mandarinas, piña americana.

12 horas: Patatas asadas o al horno, cocidas con piel.

13 horas: De 10 a 20 dátiles, o higos secos, o un buen puñado de pasas de uva.

14 horas: Ensalada de lechuga, escarola y apio.

15 horas: Nueces, almendras o avellanas.

16 horas: Té con nata, pan integral, mantequilla y miel.

Sopa de apio

Ingredientes:
- 2 tazas de apio hervido
- 1 cucharada de mantequilla
- 1 taza de agua
- 1 cucharada de cebolla trinchada
- 1 taza de nata

Preparación:
Reducir el apio a puré tamizándolo a través de un pasapurés. Calentar la nata y el agua, agregar la pulpa del apio, la mantequilla y la cebolla. Servir templado.

Guisantes horneados

Ingredientes:
- 3 tazas de guisantes tiernos
- 2 cucharadas de mantequilla
- 1 cucharada de cebolla rallada
- 2 plantas de lechuga.

Preparación:
Fundir la mantequilla y agregar la cebolla, no dejando dorar, sino simplemente unir los dos ingredientes a fuego suave. La lechuga, trinchada fina, colocarla en el fondo de una fuente de horno, untada con

mantequilla, y sobre ella distribuir los guisantes, rociando finalmente con la mantequilla. Hornear bien tapado hasta que la lechuga esté bien tierna, más o menos 25 minutos a fuego lento.

Escarola horneada

Ingredientes:
- 4 plantas de escarola
- 4 cucharadas de mantequilla

Preparación:
Colocar las escarolas bien limpias y sus hojas bien elegidas en una fuente de horno con tapa. Rociarlas con la mantequilla fundida ligeramente y hornear a fuego lento, durante 30 o 40 minutos. Debe tenerse la precaución de cocinarlas bien tapadas en sus propios jugos.

Budín de higos

Ingredientes:
- 1 taza de higos secos cortados en pequeños trozos
- 1 taza de miel
- 1 taza de agua caliente
- 2 yemas de huevo
- 2 y ½ tazas de harina integral de trigo
- 1 cucharadita de polvo de hornear

Preparación:
Mezclar la harina y el polvo de hornear con mucho cuidado, tamizando tres veces. Batir las yemas de huevo ligeramente y agregar los higos, la miel y el agua caliente. Verter esta mezcla sobre la harina y mezclar el todo muy bien. Calentar en un molde, durante dos horas al baño de María. Servirlo templado, cubriendo con una salsa a base de miel y nata a partes iguales.

Postre de arroz integral

Ingredientes:

- 3 tazas de nata batida
- ½ taza de arroz integral, cocido lo suficiente como para que los granos no se conglomeren
- ½ taza de azúcar cande o miel
- 1 cucharadita de vainilla

Preparación:

Mezclar con cuidado todos los ingredientes, y colocar en moldes individuales. Puede servirse a la temperatura natural o enfriarse en la nevera, adornándolo en el momento de servirlo con trozos de alguna fruta dulce que se tenga a mano.

ALIMENTOS ESPECIALMENTE RECOMENDADOS CONTRA EL ESTREÑIMIENTO

La dietética es, simplemente, la parte de la medicina
y de la higiene que se ocupa de adaptar el régimen alimenticio
a las necesidades particulares de los enfermos.

Pan integral

Un problema, siempre tan discutido, es el del pan nuestro de cada día.

Muchos médicos suprimen o desaconsejan el pan actual, es decir, el pan blanco, a muchos de sus enfermos. ¿Por qué? Simplemente, por razones estrictamente médicas y de orden fisiopatológico.

Es imposible mencionar los nombres de todos aquellos médicos, biólogos, agrónomos, investigadores de todas las disciplinas, que se han pronunciado sobre la cuestión. El pan corriente, notablemente desvitalizado hasta el punto de que algunos lo califican de alimento «muerto», está contraindicado a muchos colíticos y a la mayoría de los individuos que «preparan» ciertas afecciones como el infarto, las arteritis, las neurosis... o que han sido atacados por ellas.

«Hace muchos años –cuenta el doctor Valnet–, uno de mis enfermos, entonces director de la Intendencia francesa y, por este hecho, obligado a efectuar numerosos viajes al extranjero, afirmaba que su colitis antigua desaparecía en ciertos países para reaparecer rápidamente a su regreso a Francia. Su formación científica le había familiarizado con las experimentaciones efectuadas metódicamente. Después de numerosas investigaciones, estuvo en situación de certificar que sus problemas de salud, como su mejora, estaban en relación con la naturaleza del pan, negro en los países donde se sentía mejor. La eliminación definitiva del pan corriente bastó para librarle de la mayor parte de sus síntomas».

El profesor Delbet, entre los primeros, se esforzó en hacer comprender que el pan blanco, como el refinado de una manera general, constituía «uno de los más grandes errores del siglo». Curiosamente, el consumo del pan en Francia, por ejemplo, ha disminuido, en cincuenta años, en notables proporciones. Se sitúa actualmente alrededor de 250 gramos al día contra 750 gramos de otro tiempo.

No hay duda de que al ir aumentando el nivel de vida, se consumen alimentos más caros, como la carne y las frutas, en detrimento de los productos de bajo precio de los cuales el pan sigue siendo el prototipo. Pero no parece que sea ésta la única y verdadera razón de la desafección progresiva registrada respecto al pan blanco.

En otros tiempos, el pan preparado con levadura natural, con una harina de trigo no desgerminado molido en los molinos y cocido con leña, era un alimento base. Mientras que, en nuestros días, el pan corriente –que no fue tan mal bautizado el día en que se lo calificó de «fantasía»– es recomendado por sus defensores con la condición de añadirle una alimentación suficientemente rica y variada. Hace ya tiempo que se ha reconocido que, contrariamente a lo que se podía observar en el pasado, un prisionero «puesto», hoy día, exclusivamente a pan y agua, no tardaría en presentar síndromes más o menos acusados de carencias. Para hablar sólo de las vitaminas, mientras que el germen de trigo es de una riqueza excepcional, que la zanahoria, la espinaca, la col, el tomate, el limón, las ensaladas y tantos otros vegetales, en estado fresco desde luego, las tienen en abundancia, el pan blanco se revela relativamente pobre, las pastas alimenticias corrientes todavía más, mientras que el azúcar industrial y el arroz descascarillado carecen en absoluto de estos principios esenciales.

Recordemos que el grano de trigo comporta un pericarpio que contiene mucha celulosa, una almendra formada de almidón en una red de proteínas (el gluten), y entre los dos una base proteica (primera capa del albumen), muy rica en principios nutritivos.

Ahora bien, los procedimientos de molienda clásicos actuales no permiten despegar, para conservarla, esta base proteica que sigue, desde entonces, la suerte de las envolturas indigestibles rechazadas para entrar –al mismo tiempo– en la composición de los «subproductos» generalmente destinados a la alimentación del ganado. Con ella, son igualmente eliminados el germen y una parte más o menos importante del albumen periférico.

Mientras que las bases subcorticales, en razón de su riqueza en *aleurona* (sustancia proteica de reserva), en *fitina*, en fosfatos, en calcio, en vitaminas del complejo B, en ácidos aminados indispensables, etc., son llamadas «capa maravillosa», la porción central del grano se revela la menos rica en minerales, en prótidos, como en lípidos. Es esta última la que, casi exclusivamente y en perjuicio nuestro, entra en la composición de la mayoría de los panes usuales.

Pero en nuestro país, los molineros –salvo error de mi parte– son enteramente libres de la selección como de la preparación de los trigos, del modo elegido para su molienda, y de la elección de las harinas de pasaje que pueden mezclar a su voluntad para constituir las diversas harinas comerciales, todavía más numerosas por otra parte en algunos otros países.

Es decir, que es posible para el consumidor –por poco que se moleste en ello– procurarse la variedad de pan que corresponda a su gusto y a sus concepciones.

Desde luego, la harina ideal debería poder comprender todas las partes útiles del grano a excepción de las envolturas irritantes sin contenido. Desde luego, «el peso específico es un mal, un falso criterio de cualidad de los trigos (para el productor, seguro, pero más aún para el consumidor)» y esta noción debería poder ser reconsiderada.

Pero contrariamente a lo que ocurre en ciertos países (Estados Unidos, Gran Bretaña, Holanda), no conocemos en nuestro país panes que contengan ciertos mejorantes o conservadores. El uso de estos productos está, en efecto, rigurosamente prohibido. Sólo la adición de una mínima cantidad de vitamina C está autorizada en la pasta.

Diversos autores, entre los cuales los doctores Bas y A. Schlemmer, habían hace tiempo protestado contra el empleo, admitido por diferentes naciones, de productos tóxicos (bromato de potasio, persulfato de amonio o tricloruro de nitrógeno) en la composición del pan. Hay que estarles agradecidos.

Por su parte, los doctores Sheldon y Yorke han constatado que la absorción de pan fabricado con tricloruro de nitrógeno o con bióxido de cloro había provocado, en una mujer, la aparición de eczema, de anorexia y de trastornos mentales.

Sabemos, en fin, que una fermentación descuidada, efectuada demasiado rápidamente, procura un pan de olor a levadura con una miga que se deshace rápidamente.

El pan moreno de otros tiempos está hecho de harina cernida al 85 por 100 por término medio. Esta harina contenía así el germen y las sustancias ricas de la capa interna del salvado. Era un alimento casi completo al cual bastaba añadir un poco de carne, de queso o de huevos. Mientras que el pan blanco actual es desequilibrado.

Por otro lado, la parte de la celulosa no asimilada favorece la progresión y la expulsión de las heces ejerciendo un verdadero barrido del colon.

La cuestión es saber si este pan, el pan integral, puede y debe ser consumido por todos. El doctor Paul Carton temía precisamente que su riqueza en celulosa pudiera entrañar una irritación intestinal. Este serio inconveniente puede, en efecto, producirse, pero es preciso señalar que no se producirá sino sobre los intestinos débiles, es decir, no sobre un aparato digestivo insuficiente, sino portador de lesiones y cuya flora microbiana perturbada no puede por eso digerir una parte de la celulosa (50 a 70 por 100) ni el almidón que queda en el quimo que progresa en el ciego y el colon ascendente.

Resulta evidente que una persona que sufra de *colibacilosis* no deberá consumir pan integral puesto que su mucosa intestinal está irritada y deja pasar a la sangre los bacilos. Como consecuencia, la flora está desequilibrada y la celulosa no es digerida, aumentando la irritación antedicha. En este caso habrá que consumir bizcochos.

Este ejemplo y otros parecidos nos llevan a la conclusión de que un intestino no lesionado puede y debe recibir pan integral. Hemos dicho no lesionado, lo que implica que un intestino insuficiente, un intestino átono, un intestino cuya «punta sigmoidiana» no se efectúa ya como conviene podrá, a condición de que esté sano, ser reeducado en parte con pan integral.

El doctor Carton experimentó sobre enfermos el pan integral y el pan moreno y observó en éstos inconvenientes, pero se trataba de individuos tocados en sus fuerzas vitales. Se trataba de enfermos cuyo tubo digestivo estaba en estado de neta inferioridad. Ahora bien, una persona que experimenta un estreñimiento banal no es un enfermo; simplemente necesita despertar la motricidad de sus vías digestivas. El pan integral será uno de los elementos que le ayudarán.

Por lo demás –como dice el profesor Nigelle–, es sobre la cuestión de la cantidad que hay que detenerse. En primer lugar, no hay que consumir exclusivamente pan integral. Es el error que cometen muchos. Interpretando exageradamente los elogios que se han hecho de las cualidades reales de este alimento, abandonan por completo el pan blanco y se ponen a consumir cantidades exageradas de pan integral. Haciéndolo así, olvidan o desconocen el viejo adagio: «In medio stat virtus» (la virtud está en el medio y no en los extremos).

Es evidente –señala el profesor Nigelle– que una persona que pasa sin transición del pan blanco al pan integral y que come de él más de lo razonable, corre el riesgo de irritar su mucosa intestinal por el exceso de salvado absorbido y de ser incomodado por fermentaciones. Siendo así, no se debe abandonar por completo el pan blanco; lo más prudente es consumir las tres clases de pan que la panadería pone a nuestra disposición: pan blanco, pan integral y bizcochos. Se consumirá pues dos o tres veces por semana pan integral. Los días en que nuestra minuta esté constituida principalmente por feculentos, éstos serán acompañados de bizcochos. Los otros días se usará pan blanco con moderación, pues el exceso de este pan provoca fermentaciones, particularmente la miga tierna insuficientemente masticada y ensalivada.

Podemos decir, en conclusión, que el pan integral es un medio natural de lucha contra el estreñimiento banal, y que posee al mismo tiempo un valor de equilibrio indispensable a nuestro organismo. Pero hay que consumirlo inteligentemente. Y, cuando el intestino da la menor señal de fatiga, de irritación, de sobrecarga, habrá que recurrir a los bizcochos. La segunda cocción en el horno a la cual son sometidos les quita una parte del almidón contenido en la miga. Gracias a esto resultan más ligeros y de más fácil digestión.

Cereales

Los cereales constituyen un alimento muy nutritivo, rico en minerales y vitaminas, formador de tejidos, importantísimo en una alimentación sana. Son de fácil digestión si se preparan convenientemente. Lo que caracteriza a los cereales es su riqueza en hidratos de carbono, de ahí su elevado valor nutritivo. Para combatir el estreñimiento, los cereales deben ser consumidos en forma de granos o harinas integrales. Para los estreñidos, los cereales indicados son el trigo, la avena y la cebada.

Trigo. El trigo integral es un alimento casi completo. Para que el trigo tenga el máximo valor nutritivo, su almidón debe ser trasformado en dextrina. Se trata de un desdoblamiento del almidón bajo la acción de una diastasa, o del calor. Por tanto, una buena cocción operará este desdoblamiento. Según el doctor Hanish, «se puede acelerar la dextrinización añadiendo un poco de aceite al agua de cocción. Cada hogar –añade– debería tener un molinillo de cereales, pues no hay comparación entre el trigo recién molido y los productos que uno compra preparados de antemano. El aroma y ciertas vitaminas se pierden muy de prisa, una vez el trigo ha sido triturado».

He aquí –según Nigelle– una receta de la sopa de trigo finamente molido en el molino familiar. Esta comida será una preciosa ayuda natural para luchar contra la atonía del colon. Se puede evidentemente utilizar los copos de trigo que se venden en las casas de productos de régimen:

Hacer hervir, para dos personas, dos litros de agua. En el momento de la ebullición, echar en el agua cuatro grandes cebollas finamente cortadas. Dejar cocer de 15 a 20 minutos, después añadir 8 cucharadas soperas de trigo molido o de copos, que se mantendrán en ebullición de 30 a 40 nuevos minutos removiendo a menudo con una cuchara de madera. Añadir dos cucharadas de aceite o 20 gramos de mantequilla y salar moderadamente.

Las personas que no sean amantes de la cebolla podrán contentarse con el «porridge» de trigo según la receta del doctor Hanish: «Verter en el agua hirviente el trigo recién molido o los copos de trigo removiendo, para obtener una buena papilla. Hacer cocer durante tres cuartos de hora a fuego lento. Este plato puede servirse tal cual, con fruta cruda, patatas ralladas o compota de fruta, o también con un poco de nata fresca o de leche cruda calentada y un poco de miel, como comida o desayuno, sobre todo para los niños».

Las papillas de harina integral pueden prepararse con leche, añadiendo mantequilla o queso rallado, aceite crudo, nata, caldo vegetal, yogur, cebolla picada, zumo de cebolla, tomate, jugo de limón, miel, una yema de huevo batida o zumos de frutas.

Avena. Después del trigo es el cereal más útil; constituye un buen auxiliar para luchar contra el estreñimiento. Al mismo tiempo, constituye un alimento de fuerza de gran valor, remineralizador y reconstituyente. Debidamente preparada, la avena es de fácil digestión.

Pueden tomarse los granos de avena crudos, remojados y machacados. El grano despojado de su pericarpio constituye los copos de avena, también conocidos en el comercio con el nombre de Quaker Oats y Flower Oats. Las personas estreñidas deben utilizar la avena en forma de copos. Con éstos se hacen papillas muy digestibles, o se los agrega a los caldos o potajes de verduras, así como a las compotas de manzanas y de peras. La cocción de los copos no debe ser prolongada, para no destruir las vitaminas. Sin embargo, es preciso que los copos sean cocidos a punto, sobre todo para los dispépticos. Esta contradicción puede resolverse poniendo en remojo en agua los copos durante media hora; seguidamente se añade leche o caldo, y la avena estará perfectamente a punto tras diez minutos de cocción.

La avena es muy útil en los niños y ancianos.

Cebada. Los copos de cebada cuecen rápidamente y van bien a los intestinos delicados; se utilizan igual que los de trigo y los de avena. El pan de cebada es muy alimenticio, pero resulta poco agradable, seco, duro y bastante indigesto.

Salvado. El salvado es la parte de harina integral que se desprecia y tira. Es altamente nutritivo y contiene los principios vitales que faltan en la harina blanca. Así se da el absurdo de dar a los animales un alimento precioso del que se priva al hombre.

El salvado puede ser empleado con prudencia para regularizar la exoneración intestinal. Esto se desprende de cuanto hemos dicho al hablar del pan integral. Por su riqueza en celulosa, la envoltura de los granos de trigo reducida en finas partículas favorece las contracciones intestinales. El salvado actúa, al parecer, de una manera análoga a la de los mucílagos, aumentando de volumen en los intestinos. Tiene la ventaja de contener sales minerales y oligoelementos. El profesor Riessenger aconseja la dosis de una a tres cucharadas soperas por día, al comienzo y al final de las comidas, puro o mezclado a una compota de ciruelas crudas remojadas. Según este práctico, el salvado no deberá ser tomado por los insuficientes hepáticos y tampoco por los que sufren de cálculos biliares, así como en los casos de colitis membranosas con estreñimiento rebelde. En suma, el salvado es útil, pero sin abusar.

Hortalizas

Las verduras y hortalizas son laxantes y combaten el estreñimiento. Las sustancias vitales, vitaminas en las cuales son sumamente ricas, curan aquellos males debidos a la falta de principios vitales a que da lugar la alimentación antinatural corriente. Casi todas tienen, además, alguna propiedad curativa: hacen orinar, estimulan el apetito, purifican la sangre, el intestino y el hígado, neutralizan el ácido úrico, etc. Son compatibles, es decir, se digieren bien con la mayoría de otros alimentos, con tal de no añadirles demasiado aceite o grasa. Pero para aprovechar debidamente los principios vitales que contienen deben tomarse crudas. Las que no puedan tomarse crudas se cocerán, según las normas del arte culinario moderno y científico, que es al vapor o con su propia agua si son hortalizas muy tiernas, como las espinacas, las acelgas, etc.

Las verduras y hortalizas favorecen poderosamente, a condición de consumirlas con discernimiento, el funcionamiento del aparato digestivo y especialmente la exoneración intestinal. Estos vegetales nos aportan la mayor parte de las vitaminas, de las sales minerales y oligoelementos indispensables a nuestro equilibrio nutritivo, a nuestra vida. Contienen también la preciosa celulosa *(véase «Un elemento indispensable en la alimentación de todos los días: las escorias»),* rigurosamente necesaria para que las heces sean de consistencia, de composición y de volumen normales y puedan por consiguiente ser normalmente expulsadas.

La mayor parte de las verduras y hortalizas contribuyen a este resultado, pero un cierto número de entre ellas tiene una virtud laxante más acentuada.

Acelga. Verdura refrescante, emoliente, diurética y laxante. Se consume cocida, sola o con tomates. Se puede agregar, en pequeña cantidad, a los platos de legumbres crudas.

Se la puede utilizar como remedio contra el estreñimiento en forma de decocción en dosis de 25 a 50 gramos por litro de agua. Esta preparación es, al propio tiempo, diurética y permite también combatir la cistitis o inflamación de la vejiga, las hemorroides y las dermatitis.

La acelga está contraindicada en los diabéticos (doctor Valnet).

Achicoria. Se emplean las hojas tiernas en ensalada. Son laxantes, purificadoras de la sangre y abren el apetito (doctor Vander).

Ajo. Hay que distinguir el *ajo tierno* de los dientes de ajo, que forman la cabeza del ajo. El ajo tierno sirve para preparar ensaladas; con condimento natural entra en los caldos vegetales. El ajo tierno, añadido a las coles y legumbres secas, contribuye a evitar los flatos. El ajo tierno, por sus propiedades, es muy parecido al puerro y la cebolla. Puede tomarse en abundancia.

Los *dientes de ajo crudo* activan la secreción gástrica y la motilidad de las paredes intestinales. Su acción es favorable contra el estreñimiento lo mismo que contra la diarrea; el ajo crudo es un buen regulador de la función intestinal y actúa como profiláctico de las enfermedades infecciosas. Al propio tiempo, activa la circulación de la sangre, y está indicado en la arteriosclerosis, reumatismo, artritismo, hipercolesterolemia, asma, bronquitis, enfisema, etc.

Al cocer el ajo se pierde gran parte de su valor curativo. Por esto se aconseja la cura del ajo crudo.

Alcachofa. Es especialmente eficaz en las enfermedades del hígado. Las alcachofas pequeñas y tiernas pueden comerse crudas en ensalada. También pueden masticarse las hojas tiernas, tragando su zumo y escupiendo la fibra. El agua que resulta de hervir las alcachofas no debe tirarse; es diurética y depurativa.

Apio. El apio es aperitivo, estomacal, tónico nervioso, diurético y remineralizante. El apio crudo en ensalada o el jugo de apio es excelente. También puede tomarse cocido como verdura, y no debe faltar jamás en el caldo vegetal al que comunica su fino sabor, amén de sus incontestables propiedades.

Berenjena. Además de ser laxante, la berenjena es antianémica, diurética y estimulante hepático.

Berros. Abren el apetito y estimulan la digestión. Los berros en ensalada, mejor completada con diente de león, forman una excelente combinación con el pan integral.

Calabaza. Nutritiva, sedante, refrescante, emoliente, pectoral y diurética, la calabaza es también un eficaz y suave laxante. Puede tomarse cruda con las ensaladas, en sopas, al vapor.

La propiedad laxante de esta cucurbitácea se ejerce por la carne, el zumo y las pepitas. Un vaso de los de vino, de zumo, todas las mañanas en ayunas, es un laxante muy eficaz. Esta cura permite muchas veces acabar con un estreñimiento pertinaz. La carne deberá ser agregada a las ensaladas. En cuanto a las pepitas, el mucílago que contienen favorece la exoneración intestinal. Se han conseguido buenos resultados masticando una cucharada sopera de pepitas cada mañana durante una semana. Esta dosis debe ser reducida a una cucharadita de las de café o de postre según se trate de un niño o de un adolescente. Estas pepitas son, al propio tiempo, vermífugas.

Cebolla. Señalemos una vez más las propiedades de esta maravillosa raíz bulbosa preciosa entre todas las hortalizas. La cebolla es la planta de los centenarios, la providencia de los reumáticos, de los gotosos, de los artríticos.

La cebolla es eficaz contra el estreñimiento y la inapetencia. Facilita la digestión de alimentos farináceos (judías, lentejas, garbanzos, arroz, etc.).

La cebolla es un diurético poderoso, Es muy favorable a los diabéticos. Gracias a su fósforo, es preciosa para los intelectuales, para los deprimidos, para los sujetos nerviosos. Gracias a su fósforo, es un antiséptico de la sangre, y, por su yodo, es un tónico para la tiroides. Su sílice es útil a los vasos sanguíneos y al esqueleto. Bien provista de vitaminas del complejo B y C, rica en sales minerales, contiene diastasas y oxidasas y encierra también una esencia de alilo que tiene efectos bactericidas al nivel de los intestinos. Esta es una virtud extremadamente importante.

Para aprovechar todos estos principios debe consumirse cruda. Sin embargo, las personas que no pueden soportarla, la harán cocer a fuego muy suave. Bajo esta forma constituye un laxante suave y eficaz. Sin embargo, deberán hacer un esfuerzo para imponerla cruda a su aparato digestivo comenzando por pequeñas cantidades incorporadas a las ensaladas. A algunas personas, la cebolla cruda, tomada en exceso les produce ardor de estómago. Pero esta pequeña molestia suele desaparecer al acostumbrarse a comer cebolla.

Col. La col, rica en sales minerales y celulosa, es un estimulante de los intestinos. Desgraciadamente numerosas personas la encuentran indigesta. Este inconveniente puede ser atenuado añadiendo al agua de cocción un poco de bicarbonato de sosa. Sin embargo, los que pueden soportarla harán bien en consumirla estofada. De esta forma se conservarán la mayor parte de sus principios nutritivos. Pero este resultado se alcanzará más perfectamente sirviéndola cruda finamente cortada en ensalada, sazonada con ajo, aceite de oliva y un poco de limón.

El jugo resultante de cocer la col debe aprovecharse. Beneficia el hígado y los riñones.

Coliflor. La coliflor tiene acción laxante, diurética y depurativa de la sangre. Es antianémica, antirreumática y antiartrítica.

La coliflor forma buenas combinaciones con las espinacas y con los tomates. Hervidas con patatas o en forma de puré, son de fácil digestión y aconsejables a todas las personas.

Diente de león. El diente de león, que constituye una ensalada muy vitalizante y particularmente rica en sales minerales, no es propiamente hablando una planta laxante. Es ante todo diurética. Sin embargo, su virtud colagoga es conocida desde la más remota antigüedad, y es con este título que resulta preciosa en la lucha contra el estreñimiento, cuando éste resulta de una insuficiencia hepática.

Entre todas las ensaladas es quizá la más nutritiva, pues sus tallos tiernos encierran un jugo parecido a la leche vegetal y de notable poder alimenticio. El diente de león es tolerado por los estómagos más delicados. Pueden comerse no sólo las hojas, sino también los tallos y las florecillas amarillas, para aprovechar todas sus propiedades. El doctor Leclerc recomienda el empleo del zumo de raíz recogida en otoño. Lo ha prescrito, no solamente para restablecer la secreción biliar insuficiente, sino también para curar dermatosis de origen hepático y celulitis causadas por un exceso de colesterol sanguíneo. La fórmula propia para asegurar la conservación del jugo de raíz de diente de león se debe a Brissemoret: «Jugo de raíces frescas de diente de león 100 g, alcohol de 90° 18 g, glicerina 15 g, agua 17 g. Tomar una o dos cucharadas soperas al día».

También se puede utilizar el diente de león pasándolo por la licuadora y haciendo así una cura de zumo fresco. Otros autores aconsejan el caldo de diente de león preparado con 4 o 5 plantas frescas puestas a hervir a fuego suave en un litro de agua hasta reducción a 66 centilitros. Beber esta decocción durante el día desde el despertar hasta el acostarse.

Escarola. Rica en vitaminas y sales minerales, la escarola es un buen laxante. Debe masticarse bien. Las hojas de escarola no deben faltar en los caldos vegetales. La variedad rizada es la mejor.

Espárrago. El espárrago, además de ser laxante, activa el drenaje hepático y renal, del intestino, de los pulmones y de la piel.

Espinacas. Este vegetal obra maravillas cuando se trata de combatir el estreñimiento. La espinaca aumenta la secreción del jugo gástrico y solicita el peristaltismo intestinal. Además, su abundancia de celulosa *(véase* «Un elemento indispensable en la alimentación de todos los días: las escorias») ejerce un saludable efecto sobre el tránsito de las heces. Es pues una verdura laxante recomendada a los sedentarios y a los que padecen de almorranas.

Por otra parte, gracias a su gran riqueza en sales minerales (particularmente hierro, calcio, fósforo y magnesio) y vitaminas (sobre todo A y C), el zumo de espinacas crudas es muy efectivo para los sujetos debilitados.

Las espinacas deben consumirse de preferencia crudas, en ensalada o con otras verduras crudas.

Guisantes tiernos. El guisante, además de ser energético y reconstituyente, favorece la evacuación intestinal. Crudos, rápidamente escaldados y bien masticados, se digieren mejor que cocidos; pero para tomarlos crudos conviene que sean muy tiernos.

Hinojo. Esta hortaliza, muy popular en Italia, es poco conocida en nuestro país, salvo en la región levantina, Cataluña y Baleares. El bulbo y la parte inferior de la planta se comen cuando el tallo está tierno, en ensalada. Es exquisito. Es rico en vitaminas y sales minerales, y su celulosa es preciosa para activar las funciones del intestino grueso.

Se podrá luchar contra el estreñimiento tomando dos o tres tazas de infusión de semillas a razón de 15 gramos por litro de agua o 30 gramos de hojas siempre por litro de agua. Dejar en infusión de 10 a 15 minutos. Esta tisana es al mismo tiempo un tónico del sistema nervioso y ejerce buenos efectos contra los vértigos y la jaqueca.

Lechuga. Por su celulosa, la lechuga actúa favorablemente contra el estreñimiento. Además, esta planta es favorable a los temperamentos biliosos y permite evitar la congestión del hígado.

La lechuga debe ser consumida cruda, muy fresca y tierna. Después de haberla lavado cuidadosamente se la acomodará con aceite de oliva, zumo de limón y un poco de ajo picado o de estragón y perejil. No hace ninguna falta ponerle sal a esta ensalada digestiva y muy recomendable.

La lechuga contiene un jugo, el *lactucarium,* cuyas virtudes son calmantes, narcóticas y anafrodisíacas.

Pepino. El pepino combate las inflamaciones del aparato digestivo y depura el hígado y los riñones.

Puerro. El puerro tiene las mismas virtudes laxantes de la zanahoria; actúa como «escoba del intestino». Es muy digestible, diurético y tónico nervioso.

Rábano. Comido con sus hojas verdes, el rábano, además de ser aperitivo, antiséptico general, pectoral y estimulante hepático y renal, es un laxante nada desdeñable. No debe pues faltar en las ensaladas variadas que los estreñidos deben comer habitualmente y en abundancia.

Remolacha. Además de ser muy nutritiva y energética, la remolacha es aperitiva, refrescante y muy digestible. Por lo general se consume cocida y aliñada con zumo de limón, pero es preferible agregarla cruda, finamente rallada, a los platos de hortalizas crudas.

Tomate. El tomate es muy útil para la regularidad del tránsito intestinal. A tal fin se debe consumirlo maduro y entero con su piel, los granos y, no hace falta decirlo, la pulpa. La piel contiene celulosa y las pepitas están envueltas de mucílago que desempeña un notable papel en la digestión y la eliminación de las heces.

El tomate, mezclado con lechuga finamente cortada, cebolla y zanahoria rallada, sazonados con aceite de oliva, limón y un poco de sal, a los cuales se podrá añadir aceitunas negras, constituye una ensalada excelente y que posee un interesante poder laxante.

El tomate está lleno de vitamina C y constituye una buena fuente de vitamina A. Esta hortaliza, rica en sales alcalinas, alcaliniza la sangre que encierra un exceso de ácido. Además, el tomate no contiene apenas oxalato, contrariamente a la opinión corriente. Por su contenido en sales alcalinas debe entrar pues en el régimen de los gotosos, de los artríticos y de los litiásicos.

Zanahoria. Esta excelente raíz es la providencia del intestino. Refuerza las mucosas, lo protege contra los agentes infecciosos, ejerce una acción cicatrizante sobre las llagas ulcerosas. Aumenta la secreción biliar y sanea la bilis.

La zanahoria, la mejor amiga del intestino, posee la doble propiedad de ser astringente y laxante, es decir, lo mismo cura la diarrea que combate el estreñimiento, siendo, por tanto, con la manzana, uno de los mejores reguladores intestinales. Todo el mundo debería comer zanahorias en abundancia: todo el mundo debería comer también manzanas en abundancia.

Para combatir el estreñimiento se recomienda la siguiente receta: tomar una sopa de un kilo de zanahorias hervidas dos horas en un litro de agua y pasadas por el prensapurés.

Recordemos también que la zanahoria es, además, vitaminizante, remineralizante, tónica, antianémica, depurativa, pectoral, diurética, aperitiva, refrescante, rejuvenecedora tisular y cutánea, carminativa, tópico analgésico (cicatrizante de llagas), vermífuga, etc.

Frutas

En todas las estaciones del año tenemos frutas especialmente favorables para combatir el estreñimiento. Puede afirmarse que todas aquellas personas que tienen por costumbre y afición comer una cierta cantidad diaria de fruta del tiempo, además de alimentarse de la mejor manera, alejan el peligro del estreñimiento. La fruta debería ocupar un sitio importante en la alimentación humana.

Vamos a examinar rápidamente las principales frutas capaces de ayudar a la exoneración regular del colon. Todas las frutas, o casi todas, convienen a los estreñidos, pero algunas de ellas son un verdadero remedio para combatir esta dolencia.

Cereza. La cereza es preciosa por los dispépticos de origen nervioso, pues es un calmante de los nervios. Tiene una acción reguladora sobre la función hepato-biliar y sobre el estómago. Su virtud laxante es incontestable. Pero este poder se ejercerá más eficazmente si las cerezas son consumidas por la mañana media hora antes del desayuno y acompañadas de dos o tres cucharaditas de las de café de miel. Además, aseptiza el intestino y evita las fermentaciones.

Esta fruta es, además, un depurativo poderoso y desintoxicante, remineralizante, energético muscular y nervioso, refrescante, diurética, antirreumática, aumenta las reacciones naturales de defensa y rejuvenece los tejidos y el cutis.

Ciruela. La ciruela está particularmente indicada como remedio natural contra el estreñimiento crónico. Tiene un contenido bastante apreciable en vitaminas C y A. Contiene también vitaminas del complejo B, especialmente la variedad reina claudia. El análisis ha evidenciado su riqueza en fosfatos, en hierro, magnesio, fósforo, manganeso, potasio, sodio y, desde luego, en celulosa. Por su magnesio y su fósforo es también un regenerador de los nervios, y esto es precioso para aquéllos cuyo aparato digestivo es deficiente y que se ven acechados por la irritabilidad, el nerviosismo.

Su efecto laxante se manifiesta mayormente si las ciruelas son consumidas por la mañana en ayunas. Elegirlas frescas y maduras.

Frambuesa. La frambuesa, además de ser laxante, es tónica, estomacal, aperitiva, depurativa, diurética y refrescante.

Fresa. Esta delicada y exquisita fruta tiene propiedades laxantes nada despreciables. Además, es nutritiva, tónica, remineralizante, refrescante, diurética, eliminadora del ácido úrico, hipotensora, depurativa, desintoxicante, bactericida, regulador hepático, del sistema nervioso y de las glándulas endocrinas. Sus virtudes son, pues, múltiples y podemos considerarlas diciendo que es una de las frutas que mayormente contribuyen a aumentar las defensas naturales del organismo.

Grosellas. Todas las variedades de grosella (grosella gruesa, grosella negra y grosella roja) tienen notables propiedades laxantes. Sus granitos mucilaginosos tienen un efecto suavizante y laxante. La totalidad del fruto favorece el peristaltismo. Es al mismo tiempo un buen estimulante de la célula hepática.

Las virtudes laxantes y refrescantes de la grosella son más evidentes con el jugo fresco, o en jalea o también en jarabe.

Higo. Es un fruto nutritivo de pulpa blanca, delicada y azucarada cuando el higo es fresco. Entonces es rico en vitaminas A, B y C. Los numerosos granos que este fruto contiene así como su celulosa estimulan el peristaltismo del intestino y constituye un buen drenador del colon.

Manzana. La manzana es una de las frutas que mayores beneficios reporta a la salud del hombre. Es rica en vitaminas y sales minerales, en celulosa, en tanino.

Como la zanahoria, la manzana es ambivalente: actúa lo mismo contra la diarrea que contra el estreñimiento, es decir, es uno de los más poderosos reguladores de la función intestinal. Barre el paso a las bacterias infecciosas. Hay que evitar pelar la manzana, pues es sobre todo su pericarpio el que es rico en vitaminas, en tanino y en elementos nutritivos. Además, la piel será un factor suplementario para limpiar y literalmente barrer el colon. Comer una manzana lentamente por la noche al acostarse.

La manzana pasada por el horno y envuelta seguidamente de miel tiene efectos ligeramente laxantes. Sin embargo, las vitaminas y los principios nutritivos de la manzana se ven minorados. De todas maneras, la miel aporta una última compensación. La compota o mermelada es igualmente laxante.

Melocotón. Además de ser un fruto muy energético, estomacal y diurético, el melocotón es un laxante suave muy digno de consideración para combatir los estreñimientos banales.

Naranja. La naranja es la fruta de invierno por excelencia, preciosa por sus vitaminas y sales minerales. La naranja activa todas las funciones, tonifica los nervios y particularmente el cerebro.

La naranja es ligeramente laxante, pero es su corteza la que tiene un interés particular para combatir el estreñimiento. Cocida en un poco de agua y tomada de preferencia por la mañana, provoca un efecto semejante al agar-agar. Veamos una receta: hacer hervir media hora una corteza de naranja fresca en agua, tirar esta agua, que es muy acre. Hacer hervir esta corteza 20 minutos en una segunda agua azucarada con 20 gramos de azúcar por litro. Dejarla secar sobre un plato y comerla en ayunas por la mañana o tres horas antes de la cena. La ingestión de la corteza de una naranja así preparada no es desagradable y provoca inmediatamente una deposición.

Uva. La uva es una fruta excelente para los intestinos debilitados y perezosos. Alimento energético por su riqueza en glúcido, saturado de vitaminas C y B, encierra tanino y abundantes sales minerales y oligoelementos. Es un alimento casi completo de una gran digestibilidad. Depurativo natural, tonifica el sistema nervioso y aumenta la energía muscular. La uva es un antitóxico capaz de restablecer un estado general comprometido a consecuencia de errores alimenticios o de *surmenage*.

La uva actúa contra el estreñimiento, en primer lugar favoreciendo la emisión de la bilis, y luego estimulando la mucosa intestinal y el peristaltismo. Se recomienda tragar la piel y las pepitas después de haberlas masticado bien, pues la celulosa y los fragmentos de pepitas ayudan el tránsito regular del bolo fecal. El ácido tartárico de la uva excita la mucosa y este fenómeno concurre también a la buena progresión de las heces. Las diastasas que se hallan sobre todo en la cara interna de la piel contribuyen a la digestión de la celulosa, lo que evita los cólicos en los predispuestos.

La cura de uvas está indicadísima para combatir el estreñimiento. Esta cura es, además, diurética, eliminadora del ácido úrico y provoca una hipersecreción biliar.

Frutas secas

Las frutas secas, en general, constituyen un buen remedio contra el estreñimiento, además de ser un alimento energético de primer orden.

Albaricoque. Los orejones o albaricoques desecados, puestos en remojo, son laxantes, mientras que en estado fresco son astringentes y por lo tanto antidiarreicos.

Lo que caracteriza al albaricoque es, sobre todo, su riqueza en vitamina A, y en sales minerales y oligoelementos, particularmente potasio, fósforo, magnesio, azufre y hierro. Según el doctor Leclerc, se ha comprobado experimentalmente que en la anemia consecutiva a una hemorragia, la cura de albaricoques da resultados comparables a la cura de hígado de ternera.

Ciruela seca. La ciruela sometida a desecación es muy recomendable a los sujetos cuyas funciones hepáticas son insuficientes. La compota de ciruelas secas es un laxante muy indicado para los biliosos y los que padecen de almorranas. Pero para producir su efecto ligeramente purgante, hay que consumirlas en ayunas o antes de las comidas. El doctor Paul Carton recomienda la siguiente preparación: Tomar de 10 a 20 ciruelas secas, a la víspera practicarles una incisión con el cuchillo sobre una cara y ponerlas a remojo en un recipiente lleno de agua que las enternece haciéndoles recuperar su agua de composición; después son puestas a cocer en agua abundante durante 2 o 3 horas y cambiadas tres veces de agua en el curso de la cocción (tirar el agua de cocción y reemplazarla por agua caliente). Se obtiene así ciruelas apenas dulces. Se las sirve calientes o recalentadas y mojadas en un poco de agua.

Así preparadas las ciruelas secas, gracias a su pulpa celulósica, tendrán un poderoso efecto mecánico que tenderá a despertar el reflejo sigmoidorrectal. Esta acción no escapó al doctor Carton que la señaló así: «Es un regulador ideal de la circulación intestinal y del apetito, un desodorizante de las deposiciones, un medio poderoso de limpieza del hígado y de desintoxicación humoral».

Contra el estreñimiento pertinaz, el doctor Valnet recomienda: «Diez ciruelas pasas puestas en remojo durante doce horas. Cocerlas sin azúcar durante diez minutos, agregando el zumo de medio limón durante la cocción. Tomar las ciruelas pasas todas las mañanas en ayunas. Al acostarse tomar dos manzanas. Por la mañana y por la tarde beber dos vasos de agua».

Higos secos. Ya dijimos que el higo fresco es rico en vitaminas A, B y C. Secado naturalmente, pierde su vitamina C, pero la concentración entraña un aumento de las vitaminas B_1 y B_2 que compensa el aumento del contenido en azúcar. Por tanto, conserva su valor nutritivo.

La cura de higos secos se recomienda contra el estreñimiento. Consumir una docena de higos secos al día, teniendo cuidado de masticarlos bien. Esta cura puede aportar un útil concurso a la reeducación del reflejo sigmoidorrectal y allí donde las tisanas laxantes no hacen en general sino aumentar su atonía, contribuir al contrario a su restablecimiento.

Pasa de uva. La pasa, desembarazada de sus pepitas, tiene sensiblemente las mismas propiedades que la uva en estado fresco.

Frutas oleaginosas

Las frutas oleaginosas (nueces, almendras, avellanas, piñones, cacahuetes, coco, aceitunas) son en general algo laxantes, pero como son un alimento muy fuerte, no se pueden tomar sino en pequeñas cantidades. Siendo así, aun cuando se recomienda que figuren en el régimen del estreñido, no pueden constituir por sí mismas un alimento-medicamento lo suficientemente eficaz para actuar por sí solo como laxante, como ocurre con las frutas frescas y frutas secas que hemos reseñado anteriormente. Las abundantes grasas que contienen las frutas oleaginosas son favorables al trabajo del intestino. Además, son muy ricas en albúmina vegetal, de alta calidad. También son ricas en vitaminas, pero justamente por ser un alimento concentrado y nutritivo sólo se deben tomar en cantidad limitada y según la capacidad digestiva de cada uno. Hay que masticarlas con gran cuidado y comerlas despacio, para que produzcan todo su efecto.

Miel

La miel es un alimento energético completo provisto de vitaminas, de sales minerales y de oligoelementos, pues todo lo que está en las plantas se vuelve a hallar en la miel, jugo de las flores o néctar, enriquecido de diastasas, producto notable y prácticamente imputrescible, providencia de las vías digestivas.

De una manera general, todas las mieles tienen propiedades ligeramente laxantes. Un buen medio de luchar contra el estreñimiento consiste en tomar todas las mañanas o a mañanas alternadas, una cucharada colmada de miel con una fruta, racimo de fruta, manzana, o higos o ciruelas secas. Habría que utilizar de preferencia miel de acacia. Por desgracia, esta miel es bastante rara a pesar de una floración abundante, pues la exudación del néctar necesita unas condiciones meteorológicas difícilmente llenadas.

Además de su acción laxante, la miel ejerce una verdadera asepsia de las vías digestivas gracias a su ácido fórmico natural. Pero conviene señalar que la miel mezclada con mantequilla pierde su virtud exoneradora a nivel del colon. Hemos de señalar, también, que hay personas de aparato digestivo delicado a las que la miel produce irritación e incluso enteritis. Esto puede evitarse comiéndola en poca cantidad, diluida con otros alimentos o con agua, o bien hirviéndola y filtrándola para eliminar los principios causantes de la irritación.

Finalmente, diremos de pasada que la miel ejerce una interesante acción vasodilatadora y diurética, tonifica el corazón, aumenta la irrigación del sistema coronario, mejora la circulación miocardíaca y normaliza la tensión; actúa beneficiosamente sobre el sistema simpático, corrigiendo asimismo los trastornos hepáticos y pulmonares; además, descongestiona los bronquios y suaviza la garganta.

La miel es, en suma, un elemento constructor y reparador de las células, gracias a que por haber sido predigerida por la abeja es directamente asimilable, conteniendo las radiaciones vitalógenas del sol y del aire captadas por las plantas.

PLANTAS MEDICINALES

Debemos poner por delante que las tisanas de plantas medicinales no son remedios específicos del estreñimiento –como no lo son los laxantes y purgantes a los que ya nos hemos referido más arriba–, y que el estreñido crónico debe abstenerse de utilizarlas sistemáticamente. El resultado más seguro que obtendría haciéndolo así sería la irritación de su intestino sin mejora del trastorno mecánico sigmoidorrectal.

Repetimos, pues, que las plantas a las que nos vamos a referir seguidamente no deberán ser empleadas más que en la ocasión de estreñimiento accidental, o de tarde en tarde por el estreñido crónico.

Aquí nos limitaremos a señalar algunas plantas más recomendables para combatir el estreñimiento banal y ofrecer algunas recetas.

Algunas plantas laxantes

Melocotonero. Aquí nos referimos a las hojas y flores del melocotonero. Las flores ejercen una acción laxante y son al mismo tiempo sedantes. Es pues un remedio a prescribir a los niños y a las personas que se han vuelto irritables y nerviosas a causa del estreñimiento. De 15 a 30 gramos de hojas o de flores frescas en medio litro de agua. 10 minutos en infusión. Administrar a los niños por cucharadas soperas o de las de café, según la edad.

Esta infusión no provoca cólicos ni irritación. Se puede sustituir por el jarabe compuesto de 6 gramos de extracto fluido de flor de melocotonero y 94 gramos de jarabe simple. Tomar, al acostarse, de 1 a 2 cucharadas. Este jarabe actúa muy suavemente.

También se lo obtiene haciendo macerar 100 gramos de flores en 1 litro de agua durante 12 horas. Hacer hervir a fuego suave, después, tras haber colado esta decocción y haber exprimido fuertemente el bagazo a fin de extraer de él todo el jugo, añadir un peso igual de azúcar.

Polipodio. La parte utilizada es el rizoma. Es un laxante suave de efecto colagogo. Es desde luego porque favorece la emisión de la bilis que mejora el tránsito de las materias fecales en los sujetos cuya secreción hepática es insuficiente.

Este laxante es uno de los raros que no provoca irritación del intestino ni congestión ni espasmos. El doctor Leclerc recomienda la siguiente receta: 20 gramos de rizoma de licopodio, 10 gramos de raíz de regaliz triturada, 5 gramos de raíz de angélica, 200 gramos de agua. Hacer hervir el polipodio en el agua durante un cuarto de hora; al final de la ebullición, añadir el regaliz y la angélica, dejar macerar el todo 12 horas; colar y endulzar con una cuchara de miel; tomar en ayunas por la mañana.

Se puede sustituir por la decoración de polvo de rizoma de licopodio en cachets de 1 gramo (de 2 a 4 por día en medio de las comidas), el extracto fluido (1 a 3 gramos), el extracto blanco en píldoras de 0,10 (2 antes de cada una de las tres comidas).

Zaragatona. Su nombre científico *Psyllum* viene de un término griego que designa la pulga. Por eso se la llama también *hierba pulguera*. Las semillas son minúsculos granos negros parecidos a este insecto.

La zaragatona, al contacto del agua, proporciona cuatro veces su volumen de mucílago. Esta virtud hace de ella un purgante mucilaginoso que modifica la consistencia y aumenta sensiblemente el volumen de las materias fecales. Además, el mucílago facilita su deslizamiento lubrificando a pared del intestino con el inconveniente ya señalado a propósito de los laxantes.

La zaragatona se toma al acostarse. En un vaso de los de vino, verter una cucharada sopera de granos y llenar de agua. Dejar macerar unos diez minutos. En caso de estreñimiento pertinaz, la misma preparación podrá ser tomada, además, a la hora de comer e incluso a la de desayunar.

Ciertas personas prefieren absorber la cucharada de zaragatona con un poco de potaje o también de mermelada o simplemente en seco, bebiendo inmediatamente después un poco de agua. Es cuestión de gusto, el resultado es el mismo.

Malva. La malva es un laxante mucilaginoso, y las partes utilizadas son principalmente las flores y las hojas. Facilita la progresión de las heces en los atónicos y es aconsejable para los intestinos frágiles.

Tomarla en infusión o en decocción ligera de flores o de hojas o de una mezcla de las dos a la dosis de 10 a 20 gramos por litro de agua. De 1 a 3 tazas al día, endulzadas con miel. Se emplea también el extracto fluido estabilizado, a razón de 1 a 2 cucharadas de las de café por día.

Cúscuta. La cúscuta ejerce una acción carminativa, es decir, que favorece la expulsión de los gases, y posee virtudes colagogas, laxantes y antigotosas.

El doctor Leclerc realizó experiencias concluyentes sobre las propiedades de esta planta y escribió a este respecto: «Creo poder deducir de mis observaciones que la cúscuta está dotada de una ligera acción colagoga y laxante y que ejerce sobre todo efectos carminativos indicando una recuperación del tono intestinal. Se utilizará el extracto –0,20 a 0,40 al día– en forma de píldoras. Extracto de cúscuta, 0,10 gramos, y polvo de regaliz, cantidad suficiente para una píldora –de 2 a 4 por día antes de las comidas, o en solución: extracto de cúscuta, 2 gramos, agua destilada, 100 gramos; de 2 a 4 cucharaditas de las de café igualmente antes de las comidas». La cúscuta puede ser empleada también en infusión en dosis de 15 gramos por litro.

Casia. La casia es un purgante suave que puede ser útil, especialmente para luchar contra el estreñimiento de los niños. Tres gramos por año de edad.

Para los adultos, la pulpa es empleada en dosis de 15 a 60 gramos. Se prepara también el extracto de casia, de 10 a 30 gramos. La decocción tiene un efecto más energético en dosis de 80 a 120 gramos de la totalidad de las vainas molidas por litro de agua. Duración de ebullición, 10 minutos. Tomar una taza al acostarse y, si hace falta, otra por la mañana en ayunas.

Frángula. La parte utilizada es la corteza, la cual contiene la frangulina. Está producida por desdoblamiento de los compuestos que, unidos a mucílagos y a gomas, actúan poderosamente contra el estreñimiento.

Hay que utilizar la corteza puesta a secar desde dos años antes. El doctor Leclerc dice respecto a esta corteza: «Es un medicamento de elección para todos los sujetos en los cuales existe un estreñimiento debido a espasmos intestinales o cuya secreción biliar deja que desear. Como no determina exageración del peristaltismo del intestino, se la puede prescribir a las mujeres encinta y a los enfermos que han sufrido una operación abdominal».

La decocción se prepara así: hacer hervir de 3 a 5 gramos de corteza desecada en 150 gramos de agua durante 20 o 25 minutos; dejar en infusión durante 5 o 6 horas, perfumar con una corteza de naranja o de limón y filtrar. Tomar este brebaje por la noche al acostarse o bien una taza al acostarse y otra por la mañana en ayunas.

Algunos preferirán el polvo. La dosis de 1 a 1,5 gramos en forma de cachet da resultados satisfactorios.

Centaura menor. Estimula los movimientos del estómago y del intestino; combate los gases y las putrefacciones; laxante suave. Maceración de las hojas desecadas en agua fría durante doce horas, o infusión. Una cucharada por taza. Dos o más al día.

Correhuela. Estimulante de la bilis, tónico de la digestión y laxante. Se utilizan los rizomas; infusión de una cucharada por taza. Una o dos tazas en ayunas.

Lino. Laxante y desinflamante. Contra el estreñimiento, se pone en remojo durante la noche una cucharada sopera de semillas en un vaso de agua y al día siguiente se toma la mezcla, en ayunas.

Pensamiento silvestre. Se emplean hojas, flores y tallos. Actúa favorablemente sobre las glándulas linfáticas; purificador, diurético y algo laxante. Infusión de una cucharadita por taza; tres al día, espaciadas y calientes.

Ruibarbo. Laxante, estimulante de las funciones del hígado. Uno o dos gramos de raíz pulverizada, mezclada con miel, tragada en ayunas.

Saúco. La corteza es purgante. Cocimiento de la corteza, una cucharadita por taza.

Alholva. Tónico digestivo; laxante. Se utilizan la semilla y los frutos. Infusión de media cucharadita de las de café por taza; dos al día.

Boj. Algo diurético, laxante y febrífugo; aumenta la producción de la bilis. Se emplean hojas y raíz. Cocimiento de una cucharada pequeña por taza. Como laxante se toma en ayunas una taza entera.

Cilantro. Estimulante general y en particular de las funciones digestivas; antipútrido y desinfectante del intestino. Infusión de una cucharadita pequeña de semillas por taza de tisana; de cuatro a seis tacitas al día.

Condurango. Activador de la función digestiva; antipútrido y antihemorrágico del intestino. Cocimiento breve de la corteza; cucharadita pequeña por taza. Tres tazas diarias, antes o después de las comidas.

Tamarindo. Laxante ideal por su sabor y por sus efectos; refrescante y atemperante del tubo digestivo. Como laxante, y hasta purgante en algunos casos, se emplean 20 gramos de pulpa por cada toma, en forma de cocimiento sin colar. Se bebe en ayunas. (Doctor Vander).

Regaliz. Además de pectoral y diurético, el regaliz es un laxante apreciable. Se emplean las raíces y los rizomas. Infusión de la raíz, cucharada sopera por taza; tres al día.

Maná. No se trata de una planta medicinal, sino de un producto obtenido de los fresnos del sur de Italia. Es un purgante suave y laxante. Se disuelve en agua caliente: 50 gramos por vaso como purgante, y de 10 a 20 como laxante; se toma en ayunas.

Fresno. Además de ser febrífugo, diurético y antiartrítico, el fresno (hojas y semillas) se usa para combatir el estreñimiento y la atonía intestinal, como un laxante suave. Cucharadita pequeña por taza; tres tazas, a sorbos, durante el día.

Espantalobos. Se usan las hojas, que son laxantes. Cocimiento de una cucharada sopera de hojas por taza de tisana. Se recomienda adicionarle alguna planta aromática (anís, comino, hinojo; regaliz, etc.), para hacer más agradable esta tisana. Una taza en ayunas.

Tisanas laxantes

I. Laxante ligero: 20 g de hojas de fresno, 20 g de hojas de achicoria, 10 g de flores de melocotonero, 5 g de hojas de menta, 10 g de semillas de hinojo, 30 g de hojas de espantalobos, 5 g de semillas de anís verde, 5 g de semillas de angélica.

Para una taza de agua hirviente, poner una cucharada colmada de la mezcla de las plantas arriba indicadas bien mezcladas. Dejar en infusión un cuarto de hora. Colar y beber esta infusión endulzada con miel, un poco más que templada, una taza por la noche al acostarse. Si fuera necesario, tomar otra taza una hora antes de levantarse. (Doctor Huot).

II. Laxante ligero: Corteza de frángula 20 g, flores de gordolobo 15 g, flores de tila 15 g, hojas de menta 20 g.

Dos cucharadas soperas de la mezcla por una taza de cocimiento breve (5 minutos de ebullición), que se bebe en ayunas. (Doctor Vander).

III. Para reeducar la función intestinal: Partes iguales de diente de león, achicoria, corteza de frángula y correhuela menor, bien mezcladas. Se prepara cocimiento breve (3 minutos de ebullición) a razón de dos cucharadas pequeñas de la mezcla por cada taza de tisana. Se empieza tomando una taza al acostarse y otra al levantarse; después de unos quince días; media taza al acostarse y una taza entera al levantarse; más tarde, sólo una taza en ayunas; después, únicamente media taza y, por fin, se suprime del todo.

IV. Para el estreñimiento con gases: Partes iguales de menta, trébol de agua, comino, anís verde, diente de león y hojas sen. Una cucharada sopera de la mezcla por cada taza de infusión. Una taza al acostarse y otra al levantarse.

V. Laxante más eficaz: 25 g de frángula, 100 g de raíces de malvavisco, 10 g de regaliz, 15 g de planta mercurial, 5 g de hojas de menta, 15 g de raíz de polipodio, 5 g de semillas de hinojo, 5 g de semillas de coriandro, 5 g de raíces de angélica.

Para una taza de agua hirviendo, poner una cucharada colmada de estas plantas perfectamente mezcladas. Dejar hervir diez minutos y dejar en infusión veinte minutos, colar y beber una taza por la noche al acostarse. Si fuera necesario, se tomará otra taza una hora antes de levantarse. (Doctor Huot).

VI. Para el estreñimiento pertinaz: Partes iguales de corteza de frángula, semilla del anís, trébol de agua y hojas de sen. Una cucharada sopera de la mezcla por cada taza de infusión. Una taza al acostarse y otra en ayunas.

LOS MÉTODOS MUSCULARES

El ejercicio, el masaje y la gimnasia abdominal constituyen «una parte» del completo de tratamiento para la pereza intestinal, pero emplearlos con exclusividad de otros métodos, olvidando la alimentación, es exponerse al fracaso.

La edad de la fuerza bruta continúa, aunque parecen estar probadas las ventajas superiores del cerebro. En el tratamiento del estreñimiento hay algunos que apoyan los «métodos musculares» como remedios infalibles. Algunos recomiendan el ejercicio general vigoroso mientras otros tienen preparada una serie de ejercicios especiales que denominan «cultura del abdomen». Otro grupo, aún, defiende el masaje abdominal, o masaje de los músculos abdominales.

Con respecto al ejercicio en general, debe comprenderse exactamente cuál es el objeto del ejercicio.

El objeto legítimo del ejercicio es ayudar a la función intestinal. El objeto desviado, que desgraciadamente a menudo asume una mayor importancia, es el de convertirse en un hombre de «brazos fuertes». Muchos de los ejercicios para brazos y piernas pertenecen particularmente a esta variedad.

De mucha más importancia que esos ejercicios para desarrollar los músculos son los ejercicios respiratorios. Además debe saberse que unos pocos minutos de ejercicio por día no corregirán los efectos de una postura incorrecta asumida durante todo el día. A nuestro juicio, el asumir una correcta posición al sentarse, una correcta postura del cuerpo al caminar y una correcta postura al acostarse tendrá más valor que unos pocos momentos de sacudida espasmódica con brazos y piernas, en un furioso intento de llegar a ser atlético o sano por medio del ejercicio. Las grandes alturas se alcanzan por pequeños pasos, y la atención pequeña pero persistente en la postura podrá, en nuestra opinión, dar mucho mejores resultados en lo que se relaciona a la salud y bienestar del cuerpo en general, que el ejercicio tal como es practicado por la mayoría.

La gimnasia es, si se completa con las demás medidas higiénicas, un excelente medio para corregir la pereza intestinal. Hablamos sobre todo de la gimnasia respiratoria, especialmente la abdominal, que actúa mediante enérgicas contracciones del diafragma.

Los que creen que el ejercicio es, por sí solo, una panacea infalible contra toda clase de enfermedades, olvidan que los atletas también suelen padecer de estreñimiento. Esto se vio, por ejemplo, en las últimas Olimpiadas, debido en gran parte a la excitación en los momentos decisivos. Debe saberse, además, que hay muchas personas que llevan una existencia completamente sedentaria, y que no tienen absolutamente estreñimiento o tendencia a él. Por lo tanto, no deje que el ejercicio asuma un lugar de exagerada importancia en cualquier programa por lograr liberarse del estreñimiento. Si bien el ejercicio sensato representa una parte legítima en cualquier curso de tratamiento para vencer este mal, debe ser temperado con la razón, y el paciente no puede ser precipitado a él de una manera violenta sin correr un riesgo considerable. Veamos, por lo tanto, qué virtud hay en esos métodos, y cómo pueden ser aplicados a cualquier caso particular sin riesgo de provocar daños.

El masaje abdominal

Consideramos el masaje abdominal una forma excelente de ejercicio –para el masajista– pero no estamos convencidos de que haga algún bien permanente al paciente. Es posible producir una evacuación por medio del masaje abdominal en dirección del colon –o sea, el intestino grueso–, pero nos parece que el proceso resulta generalmente de un vaciado mecánico del contenido intestinal, más que un estímulo que haga contraer la musculatura. Otro hecho que debe considerarse cuando se contempla el masaje abdominal, es que, en presencia de un apéndice inflamado, un tumor pélvico o adherencias de larga permanencia, un masaje violento del abdomen puede ser un procedimiento peligroso.

En lo que se refiere al ejercicio del cuerpo en general, hay pocos que nieguen que una cantidad moderada de ejercicio es de valor para mantener el tono muscular de todo el cuerpo. Aumenta el apetito, se mejora la circulación y se favorece la asimilación. Sin embargo, nos manifestaba un médico: «Tengo demasiados atletas entre mis enfermos para entusiasmarme demasiado con el "valor infalible" del ejercicio como un medio de vencer el estreñimiento». «Mis dudas a este respecto –añadía otro doctor– se presentaron por primera vez hace algunos años cuando fui como médico del equipo olímpico. El porcentaje de casos de estreñimiento entre esos atletas era muy alto, aun cuando estuvieran en excelente estado físico. El elemento nervioso fue, sin embargo, el factor decisivo de este ejemplo. Estaban entrenados tan excelentemente que el sistema nervioso se encontraba afinado en un tono demasiado alto, y esto se reflejaba en el estado espasmódico del intestino, que provocaba el estreñimiento».

El hombre de negocios

Lo mismo sucede al hombre de negocios de hoy en día. Se vuelve tan nervioso a causa de la vida de competición que lleva, y su sistema nervioso alcanza un tono tan alto, que el colon llega al estado espasmódico, de donde resulta el estreñimiento. El ejercicio no va a aliviar o curar este estado, a menos que sirva al propósito de distraer su mente, relajando su sistema nervioso y así venciendo el espasmo intestinal. Por lo tanto, el ejercicio puede ser benéfico para el hombre de negocios en el tratamiento de su estreñimiento, pero hagámosle comprender que el ejercicio de su mente por medio de la diversión reposada, debe ser considerado también como una parte de cualquier programa de ejercicios.

Una palabra más de advertencia. Antes de embarcarse en cualquier curso de tratamiento por ejercicios, discuta el asunto con su médico, y déjele hacer su juicio sobre si su corazón, su presión arterial, y su físico en general soportará el tipo de gimnasia que se propone seguir. Si acepta que su programa es sensato prosígalo, pero comience muy gradualmente. Ningún hombre, no importa cuán bueno sea su estado, puede pasar de la inactividad al ejercicio violento sin forzar su corazón y su sistema arterial. Más de una persona excelente se ha perdido en la plenitud de su madurez por no observar esta precaución. La apoplejía no hace distinciones.

La «cultura del abdomen»

Cuando se trata de la «cultura del abdomen» llegamos a una serie muy compleja de ejercicios gimnásticos, cuyo objeto es fortificar los músculos abdominales, y de esta manera masajear automáticamente, por así decirlo, las asas intestinales, y de esta manera estimular el movimiento intestinal. Estos ejercicios enseñan una respiración adecuada y son capaces de hacer mucho bien.

La serie ordinaria de ejercicios que se enseña en las escuelas públicas es un buen sistema como cualquier otro, si uno está decidido a dedicarse conscientemente a ellos. Los ejercicios comprenden alrededor de diez minutos en su ejecución, y deben ser hechos inmediatamente después de levantarse. Deberán realizarse antes del baño; y ni ellos, ni cualquier otro ejercicio, se harán inmediatamente después de una comida. Es mejor esperar una hora o dos antes de dedicarse a cualquier ejercicio o juego. En el libro del profesor Costa, *Gimnasia higiénica*, hallará el lector una tabla de ejercicios especial para combatir el estreñimiento crónico.

Haciendo justicia a tales ejercicios, es bueno recordar que no evitan la necesidad de comer alimentos adecuados y de observar las medidas higiénicas de carácter general que señalamos a lo largo de este trabajo. Lo que harán, sin embargo, será mejorar el tono muscular y la circulación de la sangre, de manera que con la ayuda de otros factores normales, el intestino podrá funcionar correctamente.

LA HIDROTERAPIA

El uso racional del agua es el mejor medio de curación
que los hombres han empleado desde la más remota antigüedad.

Sebastián Kneipp

La condición fundamental de la salud es el desarrollo normal de los fenómenos que designamos con el nombre de metabolismo: alimentación racional, normal elaboración de ésta, trasformación y asimilación de las sustancias alimenticias ingeridas, eliminación de las heces y de los venenos que se forman durante el trabajo de la digestión y con ocasión de los intercambios orgánicos. Por pudibundez, ignorancia, superficialidad, la gente no da la importancia debida a la última función del cuerpo, de manera que la pereza intestinal que de ello resulta, el estreñimiento, aparece como uno de los males más graves de la humanidad. Es una infección, debida a la civilización y que, en frecuencia, en malignidad, no cede en nada a la tuberculosis y al cáncer.

Ya hemos visto en capítulos anteriores que las causas del estreñimiento son múltiples. A veces se observa una cierta carga hereditaria, una debilidad local. La pereza intestinal puede también ser la consecuencia de enfermedades tales como la anemia, las neurosis, la debilidad general. En la mujer, los males de la pelvis, los tumores, el relajamiento de la cintura abdominal a consecuencia de repetidos embarazos, son de ordinario causa de este desorden. Las personas que, por comodidad o por obligación profesional, llevan una vida sedentaria, sufren con más frecuencia de una atonía del intestino que embaraza la función de éste. Una causa extendida de estreñimiento y que conviene no subestimar, es la mala y culpable costumbre de no satisfacer la necesidad en cuanto se presenta. Durante la infancia, esta particularidad desempeña un gran papel. Los escolares tienen miedo de pedir ir al excusado cuando deberían hacerlo; o, también, no quieren interrumpir sus juegos, de manera que la causa se remonta frecuentemente a la joven edad. La escuela y el hogar deberían, sin falso pudor, dar las nociones que se imponen y alentar el puntual cumplimiento de tan importante necesidad fisiológica. Se trata de una necesidad natural que jamás debe ser reprimida.

Pero, indiscutiblemente, el estreñimiento crónico debe ser buscado en un equivocado modo de existencia y una alimentación defectuosa. Un higienista conocido dice con razón: «La vida absurda de la mayoría de la gente halla su expresión en el estreñimiento crónico». Frecuentemente, en las ciudades sobre todo, se prefiere una alimentación que, en el tubo digestivo, se halla casi enteramente absorbida. Así: carne, embutidos, huevos, pastelería, harina flor, preparaciones culinarias alambicadas. Estos alimentos, que dejan pocos residuos, son insuficientes, sobre todo si hay atonía intestinal, para dar al intestino la impulsión que asegura la marcha y la evacuación normal de su contenido (véase «Un elemento indispensable en la alimentación de todos los días: las escorias»). Los tiempos de guerra, en esta cuestión, han sido un buen maestro. Por necesidad, han sido muchos los que han tenido que contentarse con rudas hortalizas, pesado pan negro, y con esta alimentación forzosamente espartana se han visto librados de su estreñimiento. El intestino del hombre está, en general, hecho para una alimentación no rebuscada, sin exquisiteces, frugal. Una alimentación rica en elementos residuales de naturaleza celulósica, que no pueden ser completamente digestivos y constituyen el lastre, que estimula los intestinos en sus movimientos, aumenta el volumen de las materias fecales y hace éstas más fáciles de evacuar.

Para el profesor Metchnikov, célebre microbiólogo, el hombre no envejece y no cae enfermo sino por su intestino; los microbios perjudiciales que se hallan en él dan origen a venenos de los que se carga la sangre, venenos para los nervios y que atacan los órganos. El profesor

Metchnikov ha sido uno de los primeros en llamar la atención sobre el poder desintoxicante de la leche cuajada (yogur). El insomnio y el sueño inquieto son a menudo la consecuencia del estreñimiento. Las comidas demasiado tardías y demasiado copiosas se muestran particularmente perjudiciales, cuando esa tendencia existe.

Un estado cuya importancia se desconoce a menudo es *la hinchazón del vientre*. La presencia de una cierta cantidad de gases en el tubo digestivo es una necesidad fisiológica. Los gases gastrointestinales producidos en cantidades normales tienen, en efecto, por misión mantener los órganos en su sitio. Ejercen una presión uniforme en todos los sentidos y se comportan como el aire de un cojín neumático. A cada movimiento (marcha, carrera, salto), el cojín hace de muelle, opera una contrapresión y amortigua los choques que, sin él, serían llegado el caso peligrosos para las vísceras abdominales. Gracias a su uniforme expansión, los gases dan más amplitud al intestino. Aguijonan el peristaltismo y hacen posible en mayor escala la secreción de los jugos intestinales. Asimismo su capacidad de absorción se acrecienta en la medida en que su superficie interna se halla aumentada por ellos. Esta hinchazón no merece pues atención más que si ella se exagera y entraña trastornos sensibles.

Si la secreción de los jugos intestinales es insuficiente, los alimentos no son regularmente trasformados en el intestino y dan lugar a productos químicos intermedios así como a fermentaciones bajo la influencia de ciertos microbios. A consecuencia de la irritación del nervio vago que se extiende sobre el estómago y, además, a causa del empuje de los gases abdominales, el corazón comprimido y desplazado, sobre todo por la noche, padece, lo que inquieta mucho al sujeto y le hace sufrir vivamente. Sin embargo, la eliminación de la hinchazón hace desaparecer los trastornos cardíacos secundarios. Incluso las jaquecas están con bastante frecuencia en relación con el intestino.

La lucha contra el estreñimiento

La exposición de las causas del estreñimiento proporciona, la mayoría de las veces, las reglas de curación.

Ya hemos visto que en el primer plano de la lucha se presenta el régimen alimenticio. Las hortalizas y verduras, particularmente crudas, y las frutas no valen solamente por sus principios nutritivos, sino también por sus elementos aromáticos y sus ácidos orgánicos, factores de secreciones intestinales. Los ácidos, además, se oponen a las descomposiciones perjudiciales en el intestino.

Es evidente que el ejercicio físico fortifica la musculatura abdominal y estimula la actividad del intestino.

Un viejo medio que se ha demostrado eficaz en muchos casos de estreñimiento y que Kneipp apreciaba consiste en beber un sorbo de agua pura cada hora. Se debería tomar siempre algunos por la mañana en ayunas y, por la noche, antes de acostarse.

Kneipp estima particularmente la marcha con los pies desnudos por un suelo mojado frío, de baldosa o piedra o mejor tierra o hierba, de 15 a 30 minutos, para fortificar el intestino, del cual mejora la aptitud para la contracción y la distensión. Lo designa como un vesicatorio que atrae hacia los pies lo que el organismo contiene de nocivo y que, por ahí, lo elimina. No solamente favorece a los pies, sino también al vientre y a todo el cuerpo.

La cura del agua

«Para obtener los mejores resultados con la hidroterapia –dice Kneipp–, hay que practicar la cura en la forma más sencilla, la más suave, la más inofensiva. Nada desacredita más el agua como medio de curación que su empleo severo, áspero, sin medida. Cuanta más moderación y prudencia se pone, más sensible y saludable es la acción. El que comprende los efectos del agua y sabe utilizar la gama diversa de sus posibilidades, dispone de una medicación que ninguna otra, sea la que sea, puede superar».

Pero, ¿de qué manera provoca el agua la curación de las enfermedades? Kneipp responde: «El agua actúa por sus tres virtudes: su facultad de disolver, de extraer, de fortificar –y añade–: Nuestra cura elimina toda enfermedad curable, pues los diversos empleos del agua tienden a desarraigar el mal primero, disolviendo los elementos malos, de los hombres, después extrayendo las sustancias disueltas; restableciendo, finalmente, la circulación normal de la sangre depurada, lo que devuelve vigor y resistencia al organismo fatigado».

Como ya hemos explicado, lo más importante para combatir el estreñimiento es el régimen alimenticio y, en muchos casos, si la reacción del enfermo es suficientemente buena, el régimen sólo basta para normalizar la digestión y la función intestinal. Pero hay bastantes personas cuyas fuerzas vitales son demasiado débiles. La mayoría de las veces, la hidroterapia bien aplicada resuelve esta dificultad. Con ella tenemos un medio poderoso de actuar sobre la circulación de la sangre, generalmente mala en los estreñidos. No olvidemos –señala el Doctor Vander– que muchos estreñidos padecen de pies fríos, calor en el vientre o en la cabeza, etc., indicio seguro de una circulación defectuosa. Pero las aplicaciones de agua también actúan poderosamente en beneficio de las funciones de las glándulas de secreción interna y del sistema nervioso.

Las concepciones de Kneipp sobre la enfermedad son las de la patología de los humores. «Todas las enfermedades, cualquiera que sea su nombre, tienen su causa en los vicios de la sangre, trátese de la circulación, cuya marcha regular puede hallarse estorbada, o de la composición misma de la sangre que la presencia de elementos malsanos puede alterar». Los trastornos circulatorios son pues, según Kneipp, la causa primigenia de las enfermedades. Vienen luego los elementos malsanos que vician la sangre. Kneipp les agrega la falta de resistencia física. Muchas enfermedades, sobre todo las que afectan los nervios, provienen, según él, del reblandecimiento de los órganos y de un género de vida defectuoso.

Sin extendernos más sobre las generalidades de la hidroterapia, vamos a concretar los tratamientos hidroterápicos especialmente recomendados para combatir el estreñimiento.

Baño de asiento con fricción. Se sienta uno en un barreño o bañera de asiento, con agua fría, de modo que ésta llegue, por lo menos, hasta el ombligo. Con un trapo áspero (tela de saco o arpillera) se fricciona el vientre suavemente, dentro del agua, durante el tiempo de duración del baño, que debe oscilar entre 1 y 15 minutos (corto para las personas delgadas y nerviosas y más largo para las gruesas, congestivas y linfáticas). Este baño se toma una o dos veces al día. (Doctor Alfonso).

El doctor Vander recomienda su «baño vital», que es un perfeccionamiento del baño de asiento de Louis Khune. Para este baño, muy similar al anterior, se necesita una bañera de asiento con un banco pequeño, o un barreño ordinario. El enfermo se sienta en este banquillo. Con una mano se coge un paño algo áspero: hilo, cáñamo, esponja, según la sensibilidad de la piel; se sumerge en el agua y, bien empapado, se fricciona el bajo vientre, de arriba abajo, a partir del ombligo y de un lado a otro, sumergiendo continuamente el paño y sacándolo con la mayor cantidad de agua posible, a fin de tener el bajo vientre continuamente mojado. Durante esta práctica no se debe mojar ninguna otra parte del cuerpo. Es natural que los órganos genitales se mojen algo con el agua que cae al friccionarse; pero esto contribuye a la mayor eficacia del baño. La fricción se hace durante cinco o veinte minutos, según se trate de sujetos débiles o de personas robustas.

Como vemos, en el «baño vital», el agua toca sólo pequeñas partes del cuerpo: el bajo vientre, las partes genitales, el ano y algo las nalgas. Esto es importante, puesto que cuanto más pequeña es la superficie sobre la que actuamos –señala el doctor Vander–, más intensa resulta la acción. Según la ley de la acción y reacción, generalmente se obtienen en el organismo mayores efectos (reacciones intensas) si éstos son especializados e intensificados sobre una parte del cuerpo, dado que toda la energía vital puede concentrarse en ese sitio.

Para actuar sobre una enfermedad –advierte el citado doctor–, sobre todo si es crónica, se necesita muchas veces una acción intensa especializada y no basta una acción débil y repartida. El bajo vientre es seguramente el único sitio donde podemos conseguir por la hidroterapia una actuación intensa y combinada sobre los sistemas genital, digestivo, circulatorio y nervioso. Podemos, pues, hasta cierto punto, actuar indirectamente sobre todos los órganos del cuerpo.

Las influencias diversas se combinan: así, la intensificación de la circulación favorece la secreción de las glándulas y la actividad de los nervios; éstos, a su vez, actúan sobre otros órganos de modo que se puede hablar de un aumento de todos los procesos vitales, que se traducen en una mejor función de los órganos debilitados.

En cuanto al estreñimiento, es fácil comprender la mayor actividad que se puede obtener en el trabajo intestinal por esa aplicación, sobre todo si se considera la relación del intestino con el sistema nervioso.

Baño general frío. Debe ser corto –de entre unos 4 y 30 segundos– y se practica en las bañeras generales de todos conocidas.

Fricción general fría. Se hace frotando fuertemente la piel, con un trapo áspero, mojado en abundante agua fría, y secando luego con una toalla fuerte y bien seca, con energía.

Chorros de agua. La ducha de los muslos y vientre con agua fría a presión estimula poderosamente el intestino. Asimismo, las aplicaciones derivativas especiales, como los chorros a las rodillas, la marcha en el agua, o sobre el rocío, en verano, son también bienhechoras.

Compresa al vientre. La compresa derivativa favorece excelentemente la actividad del intestino. Se la practica de preferencia por la mañana en la cama, a días alternos.

Si consideramos que los fenómenos secundarios del estreñimiento crónico (dolores de cabeza, congestiones, vértigo) son influenciados con una segura eficacia por las aplicaciones hidroterápicas que actúan sobre la circulación de la sangre, que ellas regularizan, sobre los nervios y el organismo, que ellas tonifican, deberemos considerar que la cura de agua preconizada por Kneipp, Khune, Vander, Bilz y otros muchos autores, ofrece un excelente remedio contra el estreñimiento crónico, eficaz y muy conforme a las leyes naturales.

RECETAS CULINARIAS PARA COMBATIR EL ESTREÑIMIENTO

Una alimentación sana debe ir hermanada
con una preparación apetitosa.

El gran principio a seguir respecto a la alimentación, y volvemos de nuevo sobre este problema capital, sobre todo cuando se trata de estreñimiento banal simple, consiste en no someterse a un régimen triste, ni a un régimen desequilibrado ni a un herbivorismo excesivo. La prudencia, la moderación, no deben excluir el legítimo placer de comer.

Una alimentación sana puede correr parejas con una preparación apetitosa y hasta de verdadero *gourmet*. Este resultado puede ser obtenido sin caer en la química culinaria nociva: salsas sofisticadas, recetas complicadas, guisos excesivamente condimentados, etc.

Es preciso también tratar de evitar la asociación exagerada de los alimentos acidificantes y alcalinizantes en el curso de una misma comida.

El estreñido crónico, o el sujeto predispuesto al estreñimiento, debe seguir si no un régimen estricto, al menos alimentarse racional y prudentemente, conforme hemos expuesto en el capítulo «El régimen alimenticio».

Las frutas deben ser consumidas bien maduras y generalmente al comienzo de las comidas. La ensalada deberá igualmente ser consumida al comienzo de las comidas.

¿Por qué es preferible comenzar por la ensalada e incluso las frutas? Porque éstos son en general los alimentos más ricos en celulosa. Es pues útil colocarlos en cabeza del bolo alimenticio, de manera que siendo los primeros digeridos, solicitan los movimientos y secreciones intestinales y hacen imposible la formación de un tapón de materias fecales.

La leche descremada y el yogur deben ocupar su sitio en la alimentación racional y equilibrada del estreñimiento.

Y ¿qué decir respecto al vino? ¿Puede el estreñido beber vino? Sí, puede pero a condición de hacerlo con moderación y de evitar los vinos ricos en alcohol y en azúcares, tales como los blancos y aquellos cargados de tanino, los rojos espesos. En cambio, los vinos rosados ligeros y los blancos secos de fuerte tenor en glicerina, pectinas y tartratos tendrán su preferencia. La dosis media es de 40 a 60 centilitros como máximo al día. Si el estreñimiento es debido a una insuficiencia biliar, el vino está particularmente indicado en razón de su poder colagogo. Esto es válido para el estreñimiento banal. En el caso de estreñimiento lesional, el enfermo debe seguir un régimen apropiado a la causa de la lesión y el vino sigue desde luego esta prescripción. De todas maneras, durante las crisis agudas, hay que abstenerse del vino.

Ensaladas

Habiendo ensaladas, no debemos iniciar las comidas con sopas porque éstas diluyen los jugos pancreáticos, sino que debemos empezar las comidas con ensaladas, que contienen todas las sustancias alimenticias en estado fresco y natural.

Ensaladas verdes y frescas son fácilmente digeribles y forman los alimentos más ricos en vitaminas y sales minerales, que purifican y renuevan la sangre y combaten el estreñimiento.

Ensalada de lechuga

Se coge la cantidad de lechuga que se desee emplear, se deshoja toda, se lavan bien lavadas las hojas, se les escurre bien el agua, se cortan las hojas en trozos regularmente iguales, más o menos de dos dedos de largo, se ponen en la ensaladera, se rocían con buen aceite y se mezcla bien. Bien entreverada con el aceite y acomodada en la ensaladera, se le ponen por encima unas finas rebanaditas de cebolla, cortadas en forma de gajos de naranjas. Para esto se corta la cebolla por el medio, de arriba abajo, y de cada mitad se cortan las rebanaditas en dirección al centro.

Luego se termina de adornar con aceitunas negras o verdes, a voluntad, alguna viruta de zanahoria o de rabanitos, y unas finas rebanaditas de tomates, cortadas como las cebollas. Todo bien arreglado, se coloca en el medio el cogollo de la lechuga, que se deja de antemano, y se ponen por encima algunas almendras peladas o piñones, como para adornar, y por encima de todo se vuelve a rociar con poco aceite, repartiéndolo bien con un chorrito fino.

El arte y la estética en la preparación de las ensaladas debe ser tenido en cuenta. De ésta o de otra forma por el estilo deben presentarse las ensaladas con gusto y arte.

Las almendras se pelan fácilmente de su piel fina dejándolas toda la noche en remojo o poniéndolas un par de minutos en agua hirviendo.

Otras ensaladas crudas

Las ensaladas crudas –dice el doctor Castro– son el alma de toda buena digestión, como de toda buena nutrición.

Ensalada de escarola. Se reemplaza la lechuga por la escarola y se confecciona como la ensalada de lechuga.

Ensalada de espinacas tiernas. Se confecciona igual que la ensalada de lechuga, reemplazando ésta por las espinacas.

Ensalada de repollo blanco, tierno. Se confecciona igual que la ensalada de lechuga, reemplazando ésta por el repollo tierno, blanco. Se le sacan los troncos gruesos de las hojas.

Ensalada de hinojo. Se confecciona como la ensalada de lechuga, reemplazando ésta por el hinojo; pero de hinojo sólo se usará en menor cantidad, porque es muy fuerte.

Ensalada de apio. Lavadas las partes o troncos de las hojas de apio y las ramitas más tiernas, y raspados los troncos de las partes leñosas que los rodean, se cortan en trozos pequeños y se preparan del mismo modo que la ensalada de lechuga, reemplazando ésta por el apio.

Ensalada de tomates. Tomates que no sean verdes ni demasiado maduros, bien lavados y pelados, se cortan por la mitad, de arriba abajo, y cada mitad se corta de afuera hacia el centro, en rebanaditas pequeñas, en forma de gajos de naranjas, se rocían con aceite en la ensaladera, y en lo demás se preparan igual que la ensalada de lechuga, reemplazando tan sólo la lechuga por los tomates.

Los nefríticos deben usar con suma prudencia de los tomates. En ciertos casos ni pueden usarse. Los estreñidos deben comerlos bien maduros y las personas de digestión acelerada más bien tirando a verdes, sin que lo sean mucho.

Ensalada de rabanitos. Bien lavados los rabanitos y raspados cuando son algo picantes (si no, no es necesario), aprovechando las hojas buenas y tiernas, se cortan en cruz, en cuatro partes, se rocían con aceite, y en lo demás se procede del mismo modo que para la ensalada de lechuga.

Ensalada de zanahoria. Lavadas y raspadas las zanahorias, se reducen a virutas largas, con el auxilio de un rallador especial que existe para eso, o con el aparato de mondar patatas, dejando la parte leñosa interna; o también se pueden cortar en finas rajas a lo largo, con el cuchillo. Preparadas así, se les añade el aceite, y en lo demás se preparan como la ensalada de lechuga. Se masticará bien.

Ensalada de acelgas tiernas. Se confecciona del mismo modo que la ensalada de lechuga, reemplazando ésta por las acelgas.

Ensalada de pepinos. Lavados y mondados los pepinos tiernos, buenos y maduros, se cortan en rodajas finas, se rocían con aceite, y en lo demás se procede del mismo modo que para la ensalada de lechuga.

Las personas que sufren de las vías genitourinarias, como los artríticos, no deben comer pepinos, y los sanos deben usarlos con prudencia.

Ensalada de pimientos. Bien lavados los pimientos dulces y tiernos, y sacados los cabos y las semillas, se cortan en rajas a lo largo o en rodajas al través; se les pone aceite, y en lo demás se preparan como la ensalada de lechuga.

Los pimientos crudos, o aun cocidos, son de digestión laboriosa y, por tanto, sólo deben comerlos las personas de buen estómago, en poca cantidad y no muy a menudo. Las demás personas, alguna vez pueden poner en la ensalada algunas pequeñas porciones, como condimento, pero con suma prudencia y de los buenos, no picantes.

Ensalada de cebolla. Peladas las cebollas, que no serán picantes, y cortadas por el medio, de arriba abajo, cada mitad se corta en finas rodajas al través, se rocían con aceite, y en lo demás se procede como para la ensalada de lechuga.

La ensalada de cebolla cruda es especial para los nefríticos y los artríticos, pero ciertos dispépticos no la digieren bien y deben usarla con prudencia. La cebolla cruda, después del ajo, es el mayor enemigo de los microbios patógenos, y de los humores morbosos, entre las hortalizas en general.

Ensalada variada. Es aquélla en la cual entran muchas hortalizas juntas, o todas, de las que se prestan para comer en ensalada. Esta ensalada puede hacerse, si se desea, usando todas o parte de las hortalizas que se comen crudas, toda vez que las hortalizas son todas comestibles entre sí.

Gazpacho

Ingredientes (para 6 personas):
- 6 pimientos verdes
- 1 pimiento morrón
- ½ pepinillo
- 6 tomates frescos (1 kg)
- 12 dientes de ajo
- 50 g de miga de pan
- 12 cucharadas de aceite
- 40 cucharadas de zumo de limón
- 1 kg de hielo
- 1 cebolla
- Sal

Preparación:
Se pelan los pimientos, el pepinillo, los ajos, los tomates y la cebolla y se pican, junto con la miga de pan, hasta hacer una pasta, mezclando, a continuación, con el aceite, zumo de limón y hielo. Se sazona con la sal.

Gazpacho campesino

Se frota con ajo crudo una fuente y después se echa aceite y sal y se bate hasta que esté bien mezclado; póngase después pan partido en pedazos cuadrados, y después de haberlo revuelto en la fuente se echa agua fresca, dejándolo así un rato hasta que el pan se esponje, y en el momento de servirlo se le pone limón y se puede añadir algunas rajitas de pepino, tomate, pimiento encarnado y cebolla muy menuda.

Ensalada de higos secos

Ingredientes:
- Higos
- Manzanas

- Peras
- Plátanos
- Nueces
- Miel
- Nata
- Copos de avena

Preparación:

Se dejan los higos toda la noche en agua fría, para que se hinchen. Se cortan en trocitos las manzanas, las peras, los plátanos y los higos remojados. Se mezclan luego con las nueces picadas y se aderezan con miel y nata. Se sirven espolvoreados de copos de avena.

Verduras

La mejor manera de preparar las verduras es estofándolas y rehogándolas a fuego lento con olla tapada, pues de esta manera no se pierden tan fácilmente las sustancias valiosas y nutritivas como sucede con el cocimiento rápido. Al cocinar las verduras siempre debería usarse poca agua.

Las verduras nunca se deben escaldar como a menudo suelen hacer los cocineros; tampoco se debe desperdiciar ningún caldo de ellas, porque en el caldo están contenidas las sustancias nutritivas.

La mayoría de las personas, aunque emplean las verduras como parte de su alimentación diaria, ignoran su gran valor vitalizarte. Generalmente las verduras se toman cocidas. Pero muchas de ellas pueden tomarse crudas, con gran ventaja para la salud.

La licuadora eléctrica es un excelente medio para extraer los zumos de las verduras. Las verduras que se utilizan para obtener zumos deben ser frescas y tiernas; las viejas no son recomendables porque rinden poco zumo. Las raíces (zanahorias, remolacha, rábanos, nabos, etc.) se limpian con agua y un cepillo, se quitan los puntos negros con un cuchillo y sin mondarlas se pasan por un rallador. Las hojas y frutos (lechugas, acelgas, alcachofas, coliflor, col, berenjenas, tomates, pimientos, etc.) se lavan bien con agua abundante y una vez escurridas se trituran en pequeños pedazos por medio de una maquinilla, con un trinchante o con un cuchillo.

Los zumos vegetales se preparan poco antes de tomarlos, puesto que si hay que guardarlos mucho pierden gran parte de sus propiedades. No se les debe añadir sal.

Pueden emplearse solos o mezclados con caldo de verduras, sopas o purés.

Las verduras, en general, proporcionan buena cantidad de celulosa, que limpia el intestino como si fuera una esponja y corrige y evita el estreñimiento.

Tomando hortalizas crudas se aprovechan todas sus propiedades. Casi todas ellas pueden tomarse crudas en ensalada, como hemos visto más arriba, si se tiene la habilidad de escogerlas, mezclarlas y prepararlas debidamente.

Las *espinacas* y las *acelgas* destacan por su gran contenido en hierro. Son útiles en las anemias, estados de agotamiento, debilidad nerviosa, enfermedades del hígado, etc., aunque los enfermos de litiasis biliar deben proceder con cautela por lo que a las espinacas se refiere.

La *alcachofa*, ya lo hemos visto, es el alimento específico de los enfermos del hígado. Se encuentran también en este caso el *ajo,* la *cebolla* y el *puerro.*

La *zanahoria* y la *remolacha* dan energía y vigor por su riqueza en azúcares y su elevado contenido vitamínico. Su principal valor lo tienen como purificadoras de la sangre, para combatir las enfermedades del hígado.

Las *judías tiernas* son laxantes, purifican el intestino y convienen en las enfermedades del hígado y del riñón.

Para evitar que las legumbres verdes (judías, espinacas, alcachofas, etc.) se pongan amarillas al cocerlas, se hierven con mucho fuego y destapadas.

Para evitar que las legumbres blancas (coliflores, cardos, salsifís, etc.) se pongan amarillas, se cuecen lentamente y tapadas.

Ciertas legumbres cuya cocción exige mucho tiempo, se cocerán rápidamente si se recurre a la olla de presión. Son difíciles de cocer: las alcachofas, las coles, los salsifís…

Acelgas con patatas

Ingredientes (para 6 personas):
- 2 kg de acelgas
- 300 g de patatas
- 4 ajos
- 12 cucharadas de aceite

Preparación:

Se limpian las acelgas en agua corriente y se cortan, tanto los tallos como las hojas, en trocitos de un centímetro, quitándoles las partes feas. Se ponen a hervir tres litros de agua en un puchero y una vez logrado este punto se le añaden las acelgas. A los treinta minutos de cocción se les agregan las patatas, cortadas en trozos regulares, reduciendo la cantidad de agua colocada al principio hasta la cantidad que se estime conveniente. Una vez cocidas, se vierten 4 ajos y aceite bien fritos y se sirven.

Acelgas a la crema

Ingredientes (para 6 personas):
- 1.200 g de acelgas (solamente hojas)
- 8 cucharadas de mantequilla derretida
- 5 cucharadas rasas de harina
- ½ litro de leche
- Sal

Preparación:

Bien lavadas, se trocean con las manos, del tamaño de las hojas de espinaca. Se coloca al fuego un puchero con 3 litros de agua y, cuando comience a hervir, se le agregan las acelgas, cociéndolas durante 15 minutos. A continuación, se escurren y se vuelven a poner, durante 10 minutos, al fuego, una vez que se hayan refrescado con agua fría. Vuélvense a escurrir utilizando un pasador o chino y haciendo presión con la mano para que suelten toda el agua, con lo que quedan preparadas para el guiso.

Se coloca la leche en un puchero, haciéndola hervir. En una cazuela se ponen la mantequilla derretida y la harina, y cuando ésta empieza a dorarse, se le agregan las acelgas, revolviéndolas bien con una espátula de madera. Al minuto, se añade la leche hirviendo, cucharada a cucharada, hasta hacer el número 20, en cuyo momento se agregará el resto. Se procede a mezclar todo con una varilla y se le deja hervir durante 10 minutos más y se sirven.

Si sobrara algo puede aprovecharse; se hace un puré de patatas y se mezcla al sobrante, añadiéndole unas cucharadas de leche, con lo que se obtendrá una sopa muy sabrosa.

Apio a la crema

Ingredientes (para 4 personas):
- 1 kg de apios
- 100 g de mantequilla
- 1 litro de caldo vegetal
- ¼ de litro de nata
- 50 g de mantequilla
- Sal

Preparación:
Se preparan los apios como en la receta anterior. Cuando se hayan puesto los apios en la cacerola con la mantequilla, se mojan hasta cubrirlos con un buen caldo vegetal. Se tapa la cacerola y se deja hervir, manteniendo la ebullición durante 15 minutos, si puede ser en el horno caliente. Seguidamente se retiran los apios con una espumadera y se disponen en una fuente que se mantendrá al calor. Se hace reducir la cocción a la mitad, añadiendo entonces la nata.

Se deja hervir y reducir nuevamente hasta que la salsa sea untuosa. Se liga con mantequilla, añadiendo los apios y removiendo bien. Se pone en la fuente de presentación y se sirve muy caliente.

Berenjenas asadas

Se cogen las berenjenas y se mojan; se ponen a cocer directamente a las brasas, o encima de la llama del gas, y se van volviendo a medida que se tuestan, hasta que están bien blandas. No deben ponerse nunca debajo del fogón o dentro del horno, porque no queda bien; sucede al revés que con los pimientos asados: éstos van muy bien debajo del fuego o dentro del horno.

Después de asadas las berenjenas se les quita la piel y se lavan; luego se cortan en tiras y se sazonan con sal y aceite.

Berenjenas rellenas a la marsellesa

Ingredientes (para 4 personas):
- 4 buenas berenjenas
- 6 tomates
- Sal
- Nuez moscada
- 1 manojo de hierbas
- 1 cucharada de aceite
- 2 dientes de ajo
- 2 cucharadas de perejil picado
- 1 nuez de mantequilla
- Queso de Gruyére rallado

Preparación:

Preparar las berenjenas. Mientras tanto, pelar, sacar las pepitas y cortar en trozos los tomates que se saltearán en una cazuela con aceite de oliva. Sazonar con sal y nuez moscada y añadir un ramillete de hierbas secas (tomillo, orégano, hierbabuena, etc.). Cocer a fuego lento hasta obtener una salsa bastante espesa.

Retirar la pulpa de las berenjenas dejándola en un plato hondo e incorporándole la salsa de tomate pasada por el pasapurés. Mezclar bien y añadir después el ajo y perejil picados.

Disponer los cascos de las berenjenas en una fuente refractaria untada de mantequilla, rellenarlas con la preparación anterior, espolvorear con queso rallado y gratinar a horno caliente. Servir muy caliente en la misma fuente de cocción.

Berenjenas salteadas a la navarra

Ingredientes (para 4 personas):
- 8 berenjenas
- Sal
- 4 tomates grandes
- 1 rama de tomillo
- ½ hoja de laurel
- 1 cucharada de aceite
- Nuez moscada
- 1 diente de ajo

Preparación:
Preparar las berenjenas. Cuando estén escurridas y secas se saltean en una cazuela con aceite después de haberlas cortado en gruesas rodajas. Se sazona con sal. Una vez cocidas, se retiran de la cazuela con una espumadera y se ponen a escurrir en un colador. Se mondan los tomates, se cortan en trozos y se rehogan en la cazuela de cocción de las berenjenas. A continuación se añaden el tomillo y el laurel y se deja cocer lentamente sazonando con sal. Cuando los tomates estén bien rehogados, y en el momento de servir, se incorporan los trozos de berenjenas a la salsa, removiendo y dejando cocer a fuego lento durante 3 minutos. Se retira el tomillo y el laurel y se rectifica la sazón con un poco de nuez moscada y una punta de ajo.

Calabacines rellenos a la provenzal

Ingredientes (para 4 personas):
- 8 calabacines
- 4 tomates grandes
- 1 huevo entero

- 2 cucharadas de finas hierbas picadas
- 2 dientes de ajo
- Sal
- Nuez moscada
- Tomillo,
- 4 cucharadas de queso rallado
- Pan rallado
- 4 cucharadas de aceite de oliva

Preparación:

Una vez limpios y preparados, se vacían los calabacines reduciendo a puré con un batidor la pulpa. Alinear las cáscaras en una fuente refractaria untada con mantequilla. Blanquear los tomates en agua hirviendo, escurrirlos, pelarlos después y reducirlos a puré con un batidor como la pulpa de los calabacines. Mezclar calabacines y tomates, añadir el huevo entero batido, las finas hierbas y el ajo picados. Sazonar con sal y nuez moscada y espolvorear con tomillo.

Rellenar los calabacines con esta preparación, espolvorearlos con queso y pan rallado y rociarlos con aceite de oliva. Gratinarlo a horno fuerte durante unos minutos.

Cebollas a la portuguesa

Ingredientes:
- ¾ de kg de cebolla
- 50 g de mantequilla
- Sal
- Nuez moscada
- 1 taza de salsa de tomate
- Pan rallado
- 1 nuez de mantequilla

Preparación:

Pelar y cortar finamente las cebollas. Calentar la mantequilla en una cacerola, incorporando las cebollas, remover y dejar colorear lentamente, sazonando con sal y nuez moscada. Untar con mantequilla un recipiente refractario, echando en él las cebollas y su cocción. Cubrir con la salsa de tomate, espolvorear con pan rallado y esparcir por encima unos trocitos de mantequilla. Gratinar a horno fuerte unos minutos. Servir caliente en la fuente de cocción.

Puré de cebollas

Ingredientes:
- ½ kg de cebollas
- Agua salada
- 1 nuez de mantequilla
- ½ litro de salsa bechamel
- Una pizca de sal
- Un poco de azúcar en polvo
- 80 g de mantequilla
- 1 decilitro de nata

Preparación:
Se pelan las cebollas, se trinchan y se blanquean echándolas 5 minutos en agua hirviendo con sal. Retírense después con una espumadera, escurriéndolas con cuidado y dejándolas dorar lentamente en una cacerolita con mantequilla. Se incorpora a continuación la salsa bechamel espesa, sazonando con sal y espolvoreando con azúcar en polvo. Se pasa el puré por el tamiz o batidor y vuelve a ponerse a fuego lento, añadiendo la mantequilla y la nata.

Coliflor a la alicantina

Ingredientes (para 6 personas):
- 1 coliflor grande
- 1 cebolla
- 35 g de almendras tostadas
- 1 tomate

Preparación:

Después de cortada y lavada la coliflor se cuece en agua con sal y un chorro de zumo de limón; una vez cocida se escurre. Se cogen los ramitos de la coliflor, se pasan por harina y se fríen. En una cacerola con un poco de aceite se fríe la cebolla picada; a medio freír se añade el tomate, pelado y trinchado; una vez frito se echa un cacillo de agua; se sazona con sal; se ponen las almendras machacadas y la coliflor; se tapa y se deja cocer a fuego suave.

Espinacas en ramas

Ingredientes (para 4 personas):
* 2 kg de espinacas

Preparación:

Limpiar las espinacas y lavarlas en varias aguas para que suelten toda la tierra, hirviéndolas después 4 minutos en agua y sal y unas cucharadas de leche. Escurrirlas, enjugarlas en una servilleta y ponerlas luego en una cacerola con mantequilla. Calentarlas sin que lleguen a hervir.

Puré de espinacas

Limpiar las espinacas, lavarlas bien y blanquearlas echándolas 10 minutos en agua hirviendo con sal. Escurrirlas con el cuchillo. Añadir una cucharada de salsa bechamel y una cucharada de nata por persona. Sazonar con sal, un poco de azúcar y nuez moscada y servir acompañado con dados de pan frito.

Espinacas a la crema

Ingredientes (para 4 personas):
* 2 kg de espinacas
* Agua

- Sal
- 50 g de mantequilla
- 4 cucharadas de nata
- 1 pizca de azúcar en polvo
- Nuez moscada

Preparación:

Prepárese un puré de espinacas. Una vez preparado, póngase en una cacerola con un trozo de mantequilla, dejándolo cocer a fuego lento. Añádase después la nata removiendo y rectificando la sazón con sal y nuez moscada. Sírvase caliente.

Espinacas a la valenciana

Ingredientes (para 4 personas):
- 1 kg y ½ de espinacas
- Agua
- Sal
- 4 cucharadas de aceite
- 1 cebolla
- 800 g de patatas
- Azafrán
- 1 litro de agua
- 2 dientes de ajo
- 4 huevos enteros
- 4 rebanadas de pan
- 50 g de mantequilla

Preparación:

Se limpian las espinacas y se ponen a cocer en un recipiente con agua hirviendo con sal durante 10 minutos. Se retiran después con una espumadera y se escurren en un colador, presionando bien para extraerles toda el agua. Seguidamente se ponen en una cacerola y se reducen a puré con un batidor.

Se pone a calentar aceite en una cazuela, añadiendo la cebolla picada, las patatas cortadas en láminas y el puré de espinacas. Se sazona con sal y se añade una punta de azafrán. Se moja con agua y se incorporan los dientes de ajo majados. Se tapa la cazuela y se deja cocer lentamente removiendo de vez en cuando. Después, empujando la mezcla con una cuchara, se forman cuatro nidos, rompiendo un huevo en el centro de cada uno. Se tapa la cazuela y se deja cocer hasta que los huevos estén escalfados. Mientras, se tuestan unas rebanadas de pan en la sartén con mantequilla y se ponen entre los huevos. Sírvase muy caliente en la misma cazuela de cocción.

Garbanzos con espinacas

Ingredientes (para 6 personas):
- 400 g de garbanzos
- ½ kg de espinacas
- 100 g de tomates
- 30 g de almendras tostadas
- 1 rebanada de pan
- 1 diente de ajo
- Pimentón

Preparación:

El día anterior se habrán puesto los garbanzos en remojo con agua y una cucharadita de bicarbonato; se lavan bien, se ponen en un puchero con agua fría y se dejan cocer a fuego moderado, procurando que no se interrumpa el hervor, pues de lo contrario se endurecen. La sal no debe ponerse hasta que los garbanzos estén casi cocidos.

En una cazuela se fríe el pan; cuando está bien dorado se saca y se sofríe la cebolla finamente picada; luego se sofríen los tomates, previamente pelados y picados. Una vez cocidos los garbanzos se escurren y se añaden al sofrito. Aparte, en una sartén se pone un poco de aceite; una vez caliente se echa un poco de pimentón, se remueve y seguidamente se añaden las espinacas, que se tendrán de antemano lavadas y puestas en un colador con sal; se dejan sofreír bien, y una vez cocidas se unen a los garbanzos. Con el ajo, las almendras y el pan frito se hace un machacado, que se une a lo demás. Se deja cocer todo junto unos 15 minutos a fuego lento, con la cazuela tapada.

Lechugas enteras guisadas

Una vez bien limpias las lechugas, se atan con hilo fino. En una cazuela se pone abundante agua con sal. Cuando empiece a hervir el agua, se le agregan las lechugas atadas, las cuales, previamente, habrán sido rociadas con el zumo de un limón. A los 20 minutos de cocción se sacan y se escurren.

En una tartera, con 8 cucharadas de aceite, se fríen 1 cebolla y 2 zanahorias picadas. Una vez fritas, se añade 1 cucharada rasa de harina Y, a continuación, las lechugas y ½ kg de tomates cortados en cuartos y se cubre todo con un papel blanco untado con aceite. A los 20 minutos de permanecer al fuego se sacan las lechugas a una fuente y se les quita el hilo. Se pasa la salsa y se vierte encima de las lechugas, sirviéndolas muy calientes.

Guisantes a la menta

Ingredientes:
- 2 kg de guisantes tiernos
- Agua hirviendo salada
- 2 hojas de menta
- 100 g de mantequilla
- Sal
- Azúcar

Preparación:
Se desgranan los guisantes y se ponen en una cacerola con agua hirviendo y sal, añadiendo 2 hojas de menta fresca o seca. Se mantiene la ebullición 15 minutos. Después se retiran los guisantes, escurriéndolos en un colador y apartando las hojas de menta. Se calienta la

mantequilla en una cacerola añadiendo los guisantes y las hojas de menta trinchadas. Se remueve y se deja cocer lentamente, rectificando la sazón con un poco de sal y azúcar. Una vez cocidos los guisantes se ponen en una legumbrera espolvoreando con menta fresca finamente picada y trocitos de mantequilla.

Guisantes con lechugas

Ingredientes:
- 2 kg de guisantes tiernos
- 4 lechugas
- 50 g de mantequilla
- Sal
- Azúcar
- 1 ramillete compuesto

Preparación:
Desgranar los guisantes. Calentar la mantequilla en una cacerola, añadiendo los guisantes desgranados y sazonar con sal y azúcar. Incorporar un ramillete compuesto. Limpiar las lechugas suprimiendo las hojas grandes para no guardar más que los corazones, que se atarán por separado echándolos en la cacerola con los guisantes. Mojarlo todo con dos vasos de agua y dejar cocer a fuego lento y con la cacerola tapada de 30 a 40 minutos. Cuando los guisantes estén cocidos, retirar el ramillete compuesto y remover incorporando un trozo de mantequilla. Después retirar las lechugas y cortar las ataduras. Poner los guisantes en una fuente y los corazones de lechugas como guarnición a su alrededor. Servir muy caliente.

Puerros a la parisién

Ingredientes (para 4 personas):
- 6 puerros
- 1 o 2 cucharadas de mantequilla

- 2 cucharadas de harina
- Leche
- Sal
- Nuez moscada
- 2 cucharadas de nata

Preparación:

Se separa la parte verde y se corta lo blanco en trozos de un dedo de largo. Los puerros se lavan entonces con agua abundante y se cuecen con agua y sal. No deben cocer mucho rato. Se prepara aparte una salsa con la mantequilla, la harina, la leche y un poco de caldo de los puerros. Luego se agregan a la salsa bechamel los puerros escurridos, se cuecen un momento y se traban con nata.

Puerros hervidos

Limpiar los puerros, cortar las raíces y hojas marchitas y rectificar la longitud para que todos sean iguales. Reunirlos en un manojo y atarlos. Calentar agua con sal en una cacerola grande y cuando empiece a hervir añadir los puerros, manteniendo la cocción a fuego vivo durante un cuarto de hora. Retirar seguidamente los puerros con una espumadera y escurrirlos en un colador, poniéndolos en una fuente de presentación alargada. Pueden servirse tal cual o guardarlos para prepararlos al gratín, en salsa o ensalada.

Zanahorias con mantequilla

Ingredientes (para 4 personas):
- 1 kg de zanahorias nuevas
- 100 g de mantequilla
- Sal
- 1 terrón de azúcar
- 2 cucharadas de finas hierbas picadas (apio, acedera, perifollo y perejil)

Preparación:

Se limpian y raspan las zanahorias, se cortan en rodajas finas y se saltean en una cacerola con mantequilla. Se sazona con sal y azúcar y se remueve con una cuchara de madera vigilando que no se ennegrezcan. Cuando estén cocidas colocarlas en la fuente de presentación caliente o bien como guarnición de un asado, espolvoreando con finas hierbas picadas.

Zanahorias con bechamel

Ingredientes (para 4 personas):
- 1 kg de zanahorias cocidas en mantequilla
- ½ litro de salsa bechamel

Preparación:

Limpiar las zanahorias que se preparan según la receta de las zanahorias en mantequilla procurando que no tomen demasiado color. Mientras tanto, se prepara la salsa bechamel, que se vuelca hirviendo sobre las zanahorias, removiendo suavemente a fin de no aplastarlas. Sírvase muy caliente en una legumbrera.

Zanahorias estofadas

Ingredientes:
- 1 libra de zanahorias
- 6 cucharadas de agua
- 2 de aceite
- Sal

Preparación:

Se limpian las zanahorias y se cortan en rodajas; se echan en una cacerola de barro con aceite caliente y se rehogan un momento; se añade el agua y la sal y se dejan cocer tapadas durante ½ hora.

Ingredientes:

- 6 tomates
- 24 espárragos
- 1 huevo
- ½ cebolla
- Perejil picado
- Aceite
- Sal
- Zumo de limón

Preparación:

Se cuecen los espárragos: se usa la parte blanca, cortada en pequeños trozos. Se pican la cebolla, el perejil, el huevo duro. Se mezcla con sal, zumo de limón y aceite y con esta mezcla y los pedazos de espárragos se rellenan los tomates, que han sido previamente vaciados. Se sirven sobre hojas de ensalada.

Cereales

Los cereales forman la fuente generadora de fuerza y vitalidad en la alimentación. Convienen a casi todos los enfermos y sanos. Son de fácil digestión si se preparan convenientemente. Se utilizan en forma de grano o de harinas integrales.

El más importante de los cereales es el trigo, que recomendamos tomar en forma de pan integral, papillas de trigo integral, trigo remojado durante cuarenta y ocho horas, machacado y tomado crudo. Mejor es todavía dejar el trigo en remojo hasta un principio de germinación.

Las pastas para sopa (macarrones, raviolis, espaguetis, tallarines, etcétera), para ser sanas deben ser preparadas con harina integral finamente molida, que se puede adquirir en las casas en las que venden alimentos de régimen.

Las papillas de harina integral pueden prepararse con leche, añadiendo mantequilla o queso rallado, aceite crudo, nata, caldo vegetal, yogur, cebolla picada, tomate, zumos de frutas, miel o una yema de huevo batida.

Después del trigo integral, la avena es el cereal más útil. Conviene a los estreñidos. Refuerza los nervios. Convenientemente preparada es de fácil digestión. Pueden tomarse los granos de avena crudos, remojados y machacados; las papillas de avena, los copos de avena.

En las casas de régimen se vende arroz integral, que contiene todas las sustancias completas, pero debe ponerse a remojar durante la noche y hervir un poco más.

Trigo con verduras

Ingredientes:
- 1 taza de trigo integral
- 4 de agua
- 2 cebollas
- 3 tomates
- 2 alcachofas
- 2 cucharadas de aceite
- Coliflor
- Calabaza amarilla
- Sal

Preparación:
Se remoja el trigo durante una noche; se cuece durante 2 horas y se añaden las verduras limpias y picadas, la sal y el aceite y se deja hervir todo junto otros 40 minutos.

Sopa de trigo y fruta

La harina de trigo integral se cuece debidamente junto con pasas, higos y cacahuetes, todos estos reducidos a pedazos pequeños o pasados por maquinilla, hasta que resulte un puré espeso.

Trigo con fruta oleaginosa

Se ponen en remojo los granos de trigo, luego se cuecen y, una vez cocidos, se aderezan con zumo de naranja o de otra fruta, al gusto, y con nueces y almendras picadas. Si se quiere puede añadirse un poco de nata.

Suflé de trigo y tomate

Ingredientes:
- 300 g de copos de trigo
- 3 tazas de agua
- 5 tomates
- 1 cebolla grande
- 1 diente de ajo
- Perejil
- Tomillo
- Cebolletas

Preparación:
Se vierte el agua sobre los copos; se pican el ajo y la cebolla y se rehogan con aceite; se sazona con poca sal y se coloca en un molde; se cubre con rodajas de tomate y se cuece al horno durante 20 minutos. Este plato puede prepararse también con *copos de avena* en vez de copos de trigo.

Puré de cebada

Ingredientes:
- 2 cucharadas de harina de cebada integral
- 4 o 5 de zumo de verduras crudas
- 2 tazas de agua
- 2 tomates
- 1 cebolla rallada

- 1 diente de ajo
- Un poco de sal

Preparación:

Se deslíe la harina en el agua con la sal y se pone a cocer a fuego lento, removiéndolo hasta que hierva; se añaden los tomates trinchados, el ajo y la cebolla y se deja cocer otros cuarenta minutos. Luego se cuela y se mezcla con el zumo de verduras.

Puré de centeno

Ingredientes:

- 2 cucharadas de harina integral de centeno
- 2 tazas grandes de agua
- 1 cucharada de miel

Preparación:

Se deslíen la harina y la miel en el agua; se pone a cocer a fuego lento y se deja hervir durante media hora. Una vez hervido pueden añadirse unas cucharadas de zumo de frutas crudas, que no sean ácidas (uvas, ciruelas, etc.).

Los postres

Todos los postres a base de dulces reconcentrados perjudican siempre al organismo, especialmente al hígado; y, además, son siempre incompatibles con las comidas cocidas, originando trastornos digestivos, en mayor o menor grado. Por estas fundamentales razones, entendemos que no hemos de hacer postres solamente para dar gusto al paladar, aunque más tarde causen disgustos. Los postres de la cocina de régimen han de reunir dos condiciones esenciales, sin las cuales no podemos admitirlos como tales: primero, han de ser sanos, y segundo, han de ser compatibles con las comidas cocidas.

La repostería ha creado multitud de postres (dulces, pasteles, golosinas, etc.) que no reúnen los requisitos exigidos para ser sanos o presentan bastantes inconvenientes para las personas sanas y más aún para los enfermos. Las indigestiones, acidez, pesadez de estómago, etc., que pueden producir y otros perjuicios, especialmente para el hígado, son debidos a tomarlos con exceso de grasa y azúcar, y los productos químicos empleados en su confección. A quienes más perjudican estos postres es a los niños.

Aparte de la fruta fresca, y, sobre todo, la manzana –que es sin discusión el mejor postre que se puede tomar–, se recomienda, como postre, el yogur, el requesón (con o sin miel), la fruta oleaginosa (nueces, almendras, avellanas, exceptuando los cacahuetes) y la fruta seca (dátiles, pasas, higos secos). En cuanto a los pasteles, los menos perjudiciales son los de nata.

Ensaladas de frutas

Ensalada de frutas de invierno

Ingredientes:
- 3 naranjas
- 2 plátanos
- 2 manzanas
- 1 pomelo
- Azúcar a voluntad

Preparación:
Mondar las frutas. Cortarlas en pequeños trozos y quitar las pepitas. Los plátanos, una vez pelados, se cortarán en rodajas. Espolvorear con azúcar. Tener la ensalada un rato en el refrigerador antes de servirla.

Ensalada de frutas con nata

Ingredientes:
- 2 plátanos
- 2 peras

- 2 manzanas
- 2 naranjas
- 1 piña
- Nata

Preparación:

Cortar las frutas en rodajas; quitar las pepitas y espolvorearlas con azúcar; al cabo de una hora cubrirlas con la nata y mezclarlo todo bien.

Ensalada de plátanos y fresas con nata

Ingredientes:
- 2 tazas de fresas o fresones
- 1 de nata
- 1 o 2 plátanos
- Azúcar moreno
- Zumo de limón

Preparación:

Se lavan y escurren bien las fresas; se sazona con azúcar y zumo de limón. Se monda el plátano y se reduce a crema machacándolo con un tenedor; se mezcla con las fresas y se cubre con nata, Se sirve en seguida. Nutritivo y depurativo.

Ensalada de higos y manzanas

Ingredientes:
- Manzanas
- Higos secos
- Nata
- Pasas de uva
- Canela en polvo

Preparación:

Se ponen los higos y las pasas en remojo durante una noche en agua fría; se pican muy menudas y se mezclan con manzanas ralladas, canela y nata. Es laxante.

Macedonia de frutas

Ingredientes:
- 2 plátanos
- 200 g de cada de cerezas y fresas
- 125 g de cada de uva y frambuesas
- 1 limón
- Azúcar molida
- A voluntad, melocotón, peras

Preparación:

Mondar y cortar en rodajas los plátanos. Lavar las cerezas y quitarles los rabillos y los huesos. Lavar y limpiar las fresas y las frambuesas. Lavar las uvas, desgranarlas y quitarles las semillas. Limpiar y cortar en trocitos los melocotones y las peras. Poner toda la fruta en un cuenco, añadir el zumo de limón, extraído con la exprimidera, y el azúcar. Se puede dejar al fresco o en la nevera.

Ensalada de frutas con yogur

Ingredientes (para 6 personas):
- 1 racimo de uvas negras
- 1 racimo de uvas blancas
- 2 manzanas rojas grandes
- 1 plátano grande
- El zumo de ½ limón
- 2 naranjas medianas
- 4 yogures naturales
- 40 g de copos de avena

Preparación:

Se parten las uvas y se les quita el granillo. Se lavan las manzanas, se dividen en 4 trozos y se les quita la parte del centro. Se parten a continuación en rodajas, pero no se pelan.

Se pela el plátano y se parte en rodajas. Se vierte el zumo de limón por encima de las manzanas y el plátano, para evitar que se pongan negros.

Con un cuchillo afilado, se pelan las naranjas y se les quita toda la parte blanca. Se parten después en trozos y se mezclan todas las frutas.

Se bate el yogur con los copos de avena y se añade la mitad de la fruta. Se coloca el conjunto en una fuente de servir y se adorna con la fruta restante.

Puré de manzana cruda

Ingredientes:

- 4 manzanas
- 2 cucharadas de miel
- 1 limón
- Polvo de canela, al gusto

Preparación:

Se rallan las manzanas limpias con un rallador fino y se mezclan en seguida con el zumo de limón; se calienta la miel al baño María y con la canela se mezcla con el puré. Debe servirse sin tardanza.

Puré de manzanas cocidas

Ingredientes:

- 6 manzanas
- 4 cucharadas de azúcar moreno
- 4 de zumo de manzanas crudas

- El zumo de 1 limón
- 1 vaso de agua

Preparación:

Se cuecen las manzanas limpias durante 20 minutos; se pasan por un tamiz y se mezclan con el azúcar y los zumos de limón y de manzanas.

Ensalada de frutas secas

Después de lavar bien higos secos, uvas-pasas, dátiles, albaricoques y ciruelas secas, se dejan en remojo durante una noche. Se pican avellanas y se mezclan a las frutas en una fuente, según gusto. Se puede también añadir miel.

Ensalada de manzanas y nueces

Manzanas muy ácidas y verdes se lavan rápidamente con jabón y se limpian inmediatamente con agua corriente. Después de quitar las pepitas, se cortan en pedacitos diminutos. Nueces frescas (si no las hay frescas hay que remojarlas en agua caliente para facilitar el quitar la piel), se raspan o se pasan por la maquinilla y se mezclan bien con miel y con las manzanas reducidas a pedazos.

Es preferible tomar esta ensalada por la mañana en ayunas. Se puede aumentar todavía el efecto laxante de esta ensalada si antes de tomarla se bebe un vaso de zumo de frutas (naranja, uva o granada, según la estación). (Doctor Vander).

Fruta con copos de avena

Poner los copos en remojo durante varias horas, si es preciso una noche entera; se extienden los copos de avena remojados sobre una fuente y se cubren con rodajas de plátanos o de naranjas, o fresones partidos por la mitad, o trozos de melocotón, o de piña, o cualquiera otra fruta. Después se ponen encima nueces o almendras ralladas o bien piñones y además zumo de fruta si así se quiere. Se deja reposar algún tiempo antes de tomarlo; se puede cubrir también con un poco de nata o yogur.

Este plato no sólo es un buen postre, sino que es además también un excelente desayuno para los estreñidos.

Ensalada de ciruelas con almendras

Ingredientes:
- Ciruelas grandes
- Almendras
- Miel
- Canela

Preparación:
Se quitan los huesos de las ciruelas, se cortan a trocitos y se pican ligeramente en el mortero. Se pican las almendras y se mezclan con miel y zumo de naranja. Se añaden las ciruelas y la canela, se mezcla bien, se deja reposar dos horas y se sirve. También pueden ponerse las almendras enteras o cortadas en pedazos.

ÍNDICE